원리셈

10까지의 수

사고력 수학 전문가가 만든 연산 교재
원리로부터 실력까지 연산의 완성!!
다양한 형태의 문제로 재미있게 연습하는 원리셈

지은이의 말

수학은 원리로부터

수학은 구체물의 관계를 숫자와 기호의 약속으로 나타내는 추상적인 학문입니다. 이 점이 아이들이 수학을 어려워하는 가장 큰 이유입니다. 이러한 수학은 제대로 된 이해를 동반할 때 비로소 힘을 발휘할 수 있습니다. 수학은 어느 단계에서나 원리가 가장 중요합니다.

수학 교육의 변화

답을 내는 방법만 알아도 되는 수학 교육의 시대는 지나고 있습니다. 연산도 한 가지 방법만 반복 연습하기 보다 다양한 풀이 방법이 중요합니다. 교과서는 왜 그렇게 해야 하는지 가르쳐 주고 다양한 방법을 생각하도록 하지만, 학생들은 단순하게 반복되는 연습에 원리는 잊어버리고 기계적으로 답을 내다보니 응용된 내용의 이해가 부족합니다.

연산 학습은 꾸준히

유초등 학습 단계에 따라 4권~6권의 구성으로 매일 10분씩 꾸준히 공부할 수 있습니다. 원리와 다양한 방법의 학습은 그림과 함께 재미있게, 연습은 다양하게 진행하되 마무리는 집중하여 진행하도록 했습니다. 부담 없는 하루 학습량으로 꾸준히 공부하다 보면 어느새 연산 실력이 부쩍 늘어난 것을 알 수 있습니다.

개정판 원리셈은

동영상 강의 확대/초등 고학년 원리 학습 과정 강화 등으로 원리와 개념, 계산 방법을 더 쉽게 이해할 수 있도록 하고, 연습을 강화하여 학습의 완성도를 더했습니다.

학부모님들의 연산 학습에 대한 고민이 원리셈으로 해결되었으면 하는 바람입니다.

지은이 천종현

원리셈의 특징

원리셈의 학습 구성

한 권의 책은 매일 10분 / 매주 5일 / 4주 학습

원리셈의 시나브로 강해지는 학습 알고리즘

키즈 원리셈은

시작은 원리의 이해로부터, 마무리는 충분한 연습과 성취도 확인까지

체계적인 학습 구성

쉽게 이해하고 스스로 공부!
실수가 많은 부분은 별도로 확인하고 연습!
주제에 따라 실전을 위한 확장적 사고가 필요한 내용까지!
원리로 시작되는 단계별 학습으로 곱셈구구마저 저절로 외워진다고 느끼도록!

원리셈 전체 단계

키즈 원리셈

5·6 세	
1권	5까지의 수
2권	10까지의 수
3권	10까지의 수 세어 쓰기
4권	모아 세기
5권	빼어 세기
6권	크기 비교와 여러 가지 세기

6·7 세	
1권	10까지의 더하기 빼기 1
2권	10까지의 더하기 빼기 2
3권	10까지의 더하기 빼기 3
4권	20까지의 더하기 빼기 1
5권	20까지의 더하기 빼기 2
6권	20까지의 더하기 빼기 3

7·8 세	
1권	7까지의 모으기와 가르기
2권	9까지의 모으기와 가르기
3권	덧셈과 뺄셈
4권	10 가르기와 모으기
5권	10 만들어 더하기
6권	10 만들어 빼기

초등 원리셈

1학년	
1권	받아올림/내림 없는 두 자리 수 덧셈, 뺄셈
2권	덧셈구구
3권	뺄셈구구
4권	□ 구하기
5권	세 수의 덧셈과 뺄셈
6권	(두 자리 수)±(한 자리 수)

2학년	
1권	두 자리 수 덧셈
2권	두 자리 수 뺄셈
3권	세 수의 덧셈과 뺄셈
4권	곱셈
5권	곱셈구구
6권	나눗셈

3학년	
1권	세 자리 수의 덧셈과 뺄셈
2권	(두/세 자리 수)×(한 자리 수)
3권	(두/세 자리 수)×(두 자리 수)
4권	(두/세 자리 수)÷(한 자리 수)
5권	곱셈과 나눗셈의 관계
6권	분수

4학년	
1권	큰 수의 곱셈
2권	큰 수의 나눗셈
3권	분모가 같은 분수의 덧셈과 뺄셈
4권	소수의 덧셈과 뺄셈

5학년	
1권	혼합 계산
2권	약수와 배수
3권	분모가 다른 분수의 덧셈과 뺄셈
4권	분수와 소수의 곱셈

6학년	
1권	분수의 나눗셈
2권	소수의 나눗셈
3권	비와 비율
4권	비례식과 비례배분

키즈 원리셈의 단계별 학습 목표

초등학교 입학 준비는 키즈 원리셈으로!!

키즈 원리셈 단계를 고를 때는 아이의 배경지식에 따라 아래의 학습 목표를 참고하세요.

5·6세 단계

수와 연산을 처음 접하는 아이들을 위한 단계
수를 익히고, 덧셈, 뺄셈을 이해
덧셈, 뺄셈 기호는 나오지 않지만, 덧셈, 뺄셈의 상황을 그림으로 제시
필기를 최소화 / 붙임 딱지 이용
매주 마지막 5일차에는 재미있게 사고력 키우기 "사고력 팡팡 "

6·7세 단계

10까지의 수를 알지만 덧셈, 뺄셈을 처음 하는 아이들을 위한 단계
1에서 20까지의 수를 익히면서 더하기 빼기 1, 2, 3
수를 똑바로 세면 덧셈, 거꾸로 세면 뺄셈이라는 것을 이해하고 연산에 이용
수 세기를 먼저 배운 후, 같은 개념을 덧셈, 뺄셈에 적용
10이 넘어가는 덧셈도 받아올림을 하는 것이 아니라 수의 순서로 이해

7·8세 단계

한 자리 덧셈, 뺄셈의 개념은 있지만 연습이 필요한 아이들을 위한 단계
초등 1학년 1학기 교과에 해당하는 내용
가르기와 모으기를 충분하게 연습하면서 속도와 정확성을 올릴 수 있는 단계
1권~4권은 가르기와 모으기를 연습한 후 덧셈, 뺄셈의 개념으로 확장하여 연습
5권은 받아올림, 6권은 받아내림의 원리를 아주 쉽게 풀어놓아서 받아올림과 받아내림을 처음 배우는 아이들에게 강추!!

5·6세 단계 구성과 특징

수를 처음 공부하는 단계입니다. 붙임 딱지를 붙이고, 그림을 보고 구체물을 세면서 놀이하듯 수를 익힙니다.
총 6권 중 2권까지는 숫자를 연필로 쓰지 않고 붙임 딱지를 이용하고 3권부터는 숫자를 쓰도록 합니다.

원리

그림을 보며 붙임 딱지를 붙이거나 ○를 그리면서 자연스럽게 수를 셀 수 있도록 하였습니다.

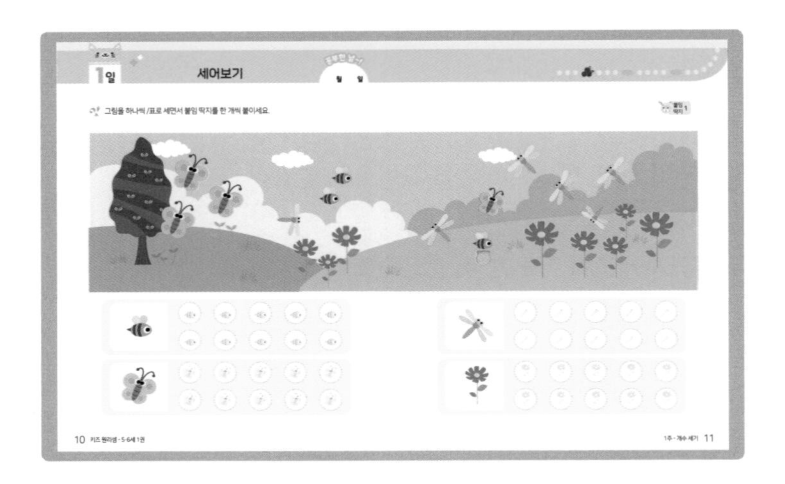

연습

손가락 세기, 엘리베이터의 버튼 붙이기 등 아이가 생활 속에서 쉽게 떠올릴 수 있는 소재들을 활용하여 다양하게 공부합니다.

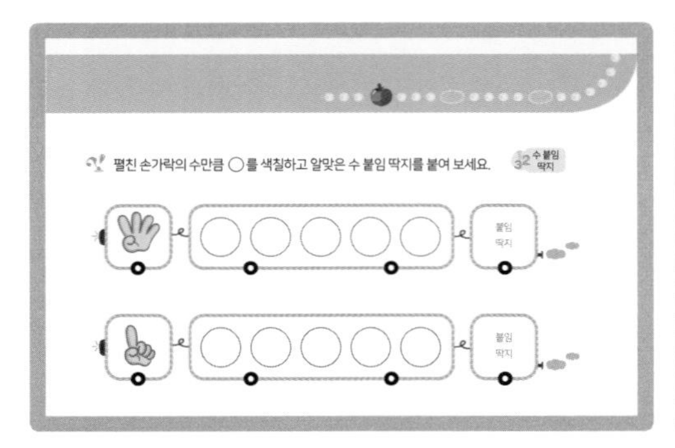

사고력 팡팡

매주의 마지막 5일차는 재미있게 사고력을 키울 수 있는 사고력 팡팡을 진행합니다. 수를 처음 배우는 단계이므로 어려운 내용보다는 직관적이고 재미있게 해결할 수 있도록 구성하였습니다.

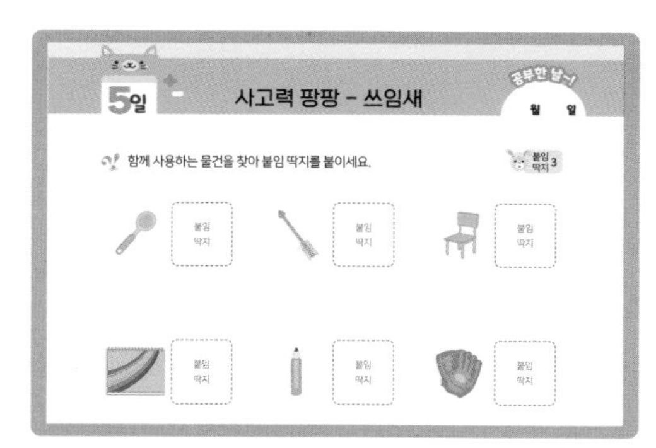

붙임 딱지

수를 처음 배우는 아이들이 붙임 딱지를 붙이면서 재미있게 수를 익힐 수 있도록 하였습니다.

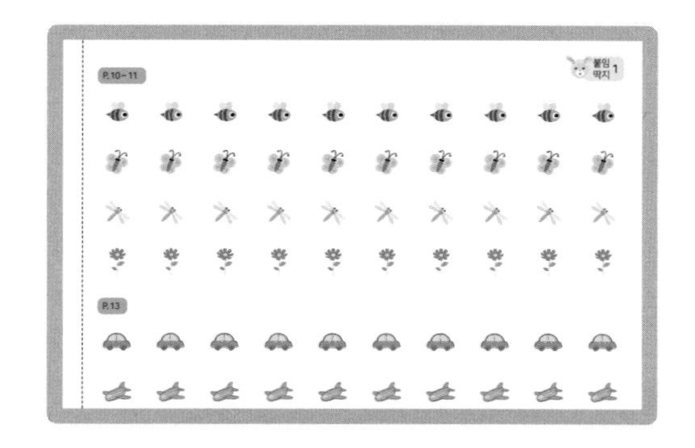

성취도 평가

개념의 이해와 연산의 수행에 부족한 부분은 없는지 성취도 평가를 통해 확인합니다.

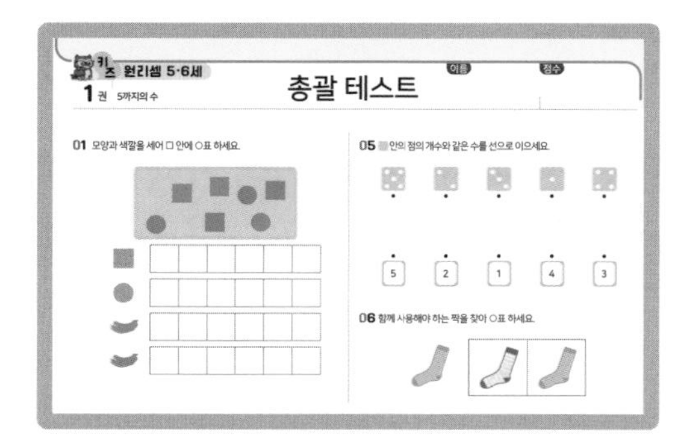

책의 사이사이에 학생의 학습을 돕기 위한 저자의 내용을 잘 이용하세요.

단원의 학습 내용과 방향

한 주차가 시작되는 쪽의 아래에 그 단원의 학습 내용과 어떤 방향으로 공부하는지를 설명해 놓았습니다.
학부모님이나 학생이 단원을 시작하기 전에 가볍게 읽어 보고 공부하도록 해 주세요.

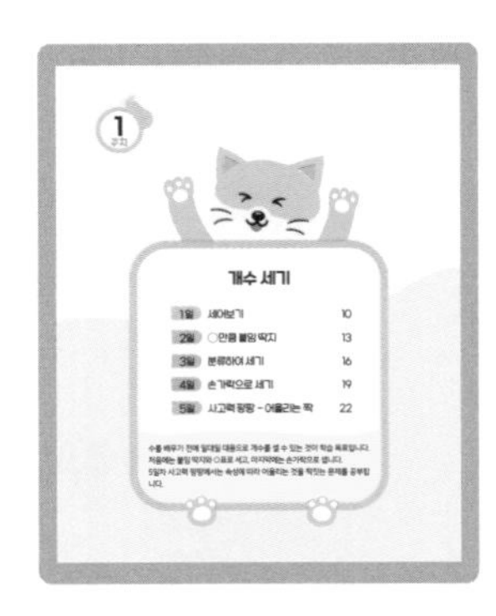

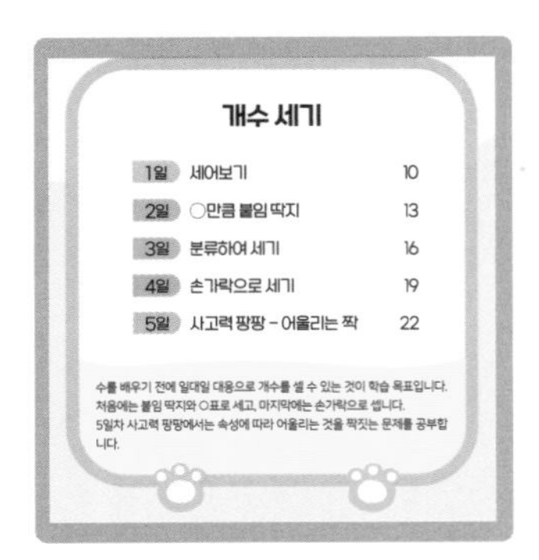

이해를 돕는 저자의 동영상 강의

공부를 시작하기 전에 표지의 QR코드를 확인하세요. 책의 학습 흐름과 목표, 그리고 그동안 원리셈을 먼저 공부한 아이들이 겪은 어려움에 대한 대처 방안 등을 설명해 줍니다.

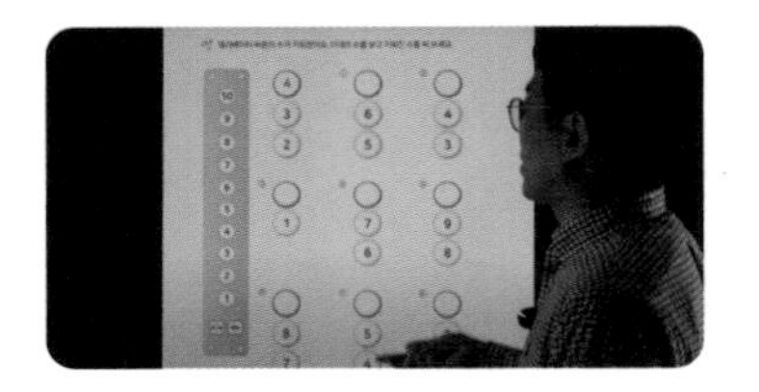

학습 Tip

간략한 도움글은 각 쪽의 아래에 있습니다.

천종현수학연구소 네이버 카페와 홈페이지를 활용하세요.

카페와 홈페이지에는 추가 문제 자료가 있고, 연산 외에서 수학 학습에 어려움을 상담 받을 수 있습니다.

네이버에서 천종현수학연구소를 검색하세요.

여섯, 일곱, 여덟 세기

6에서 10까지의 수를 알고, 하나, 둘, 셋, 넷, 다섯, 여섯, 일곱, 여덟, 아홉, 열로 수를 셀 수 있도록 합니다. 여러 가지 문제를 해결할 때 하나, 둘, 셋으로 소리 나게 말하며 세면서 풀도록 지도해 주세요.

6, 7, 8, 9, 10 알기

6, 7, 8을 알아보고, 수만큼 ◯를 색칠하세요.

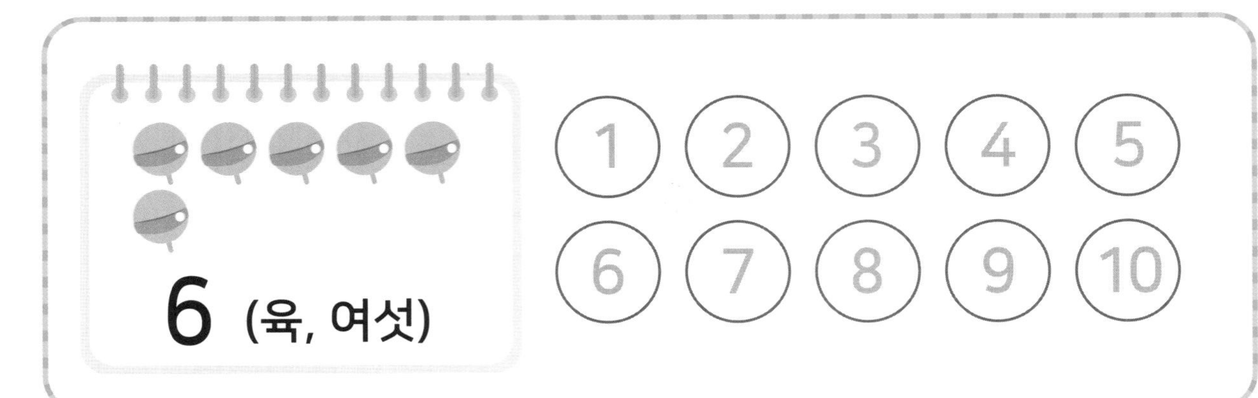

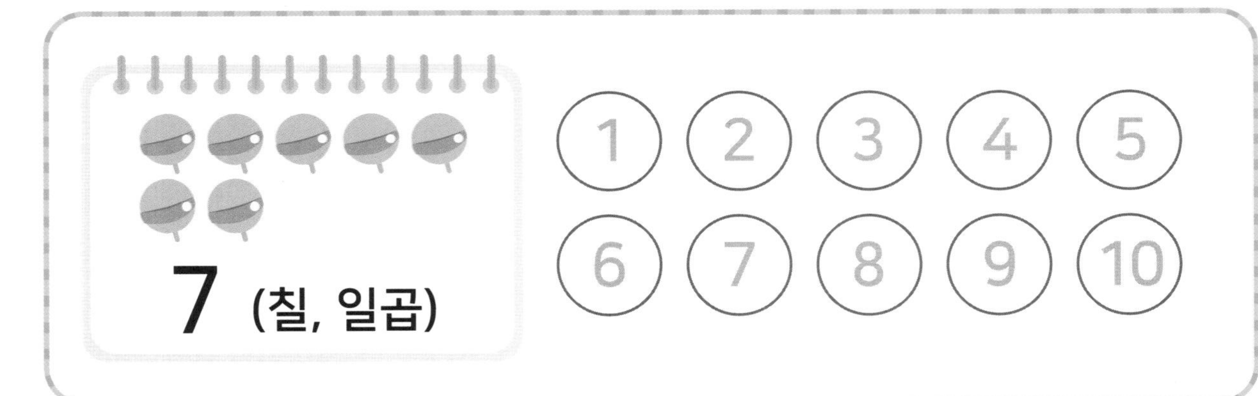

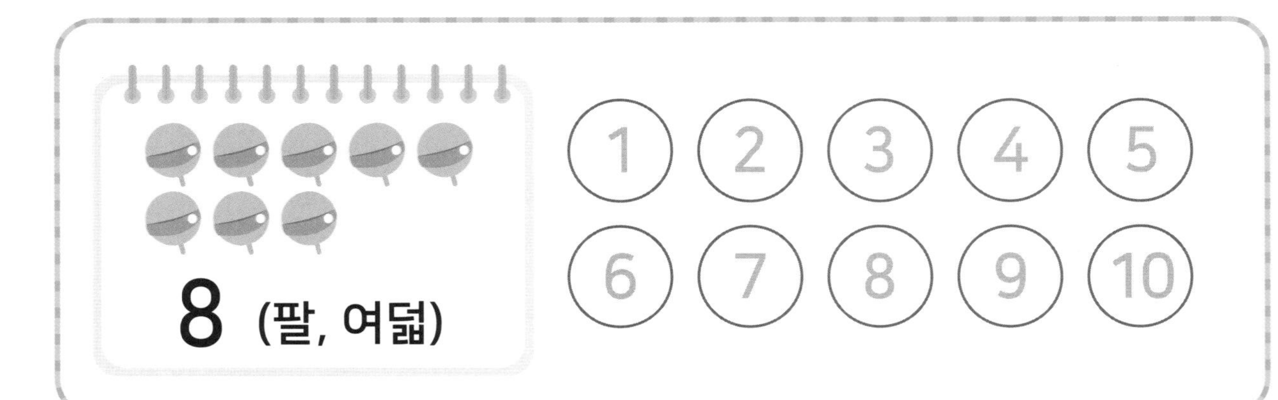

9, 10을 알아보고, 수만큼 ◯를 색칠하세요.

수와 그림을 알맞게 선으로 이으세요.

여섯, 일곱, 여덟

월 일

하나, 둘, 셋으로 세면서 수만큼 붙임 딱지를 붙이세요.

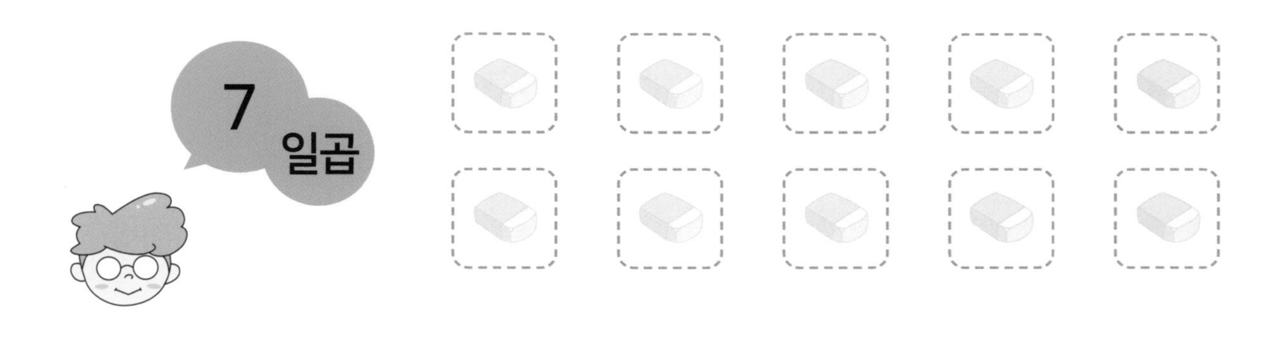

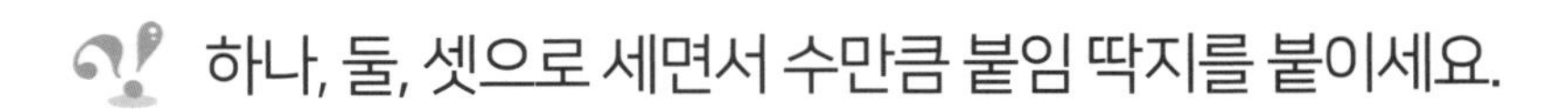
하나, 둘, 셋으로 세면서 수만큼 붙임 딱지를 붙이세요.

붙임 딱지 1

9
아홉

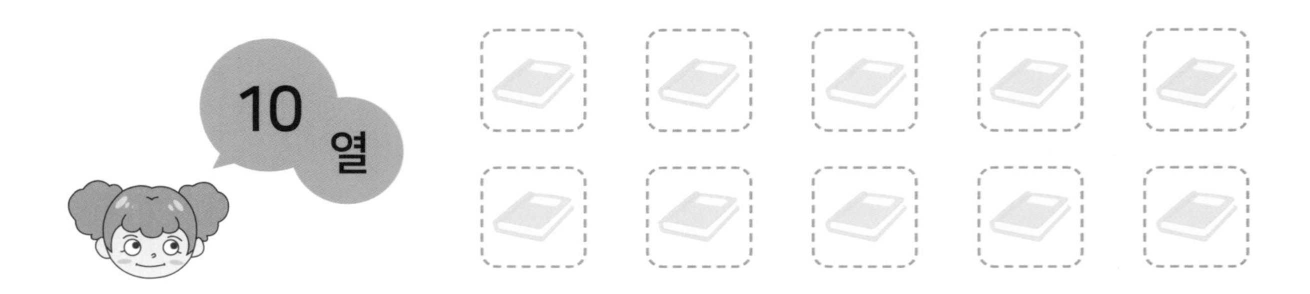
10
열

학용품을 하나, 둘, 셋으로 세어 알맞은 수에 ◯표 하세요.

1	2	3	4	5
6	7	8	9	10

1	2	3	4	5
6	7	8	9	10

1	2	3	4	5
6	7	8	9	10

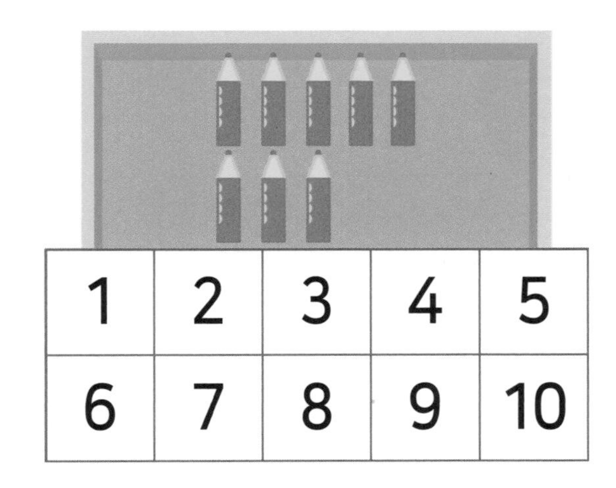

1	2	3	4	5
6	7	8	9	10

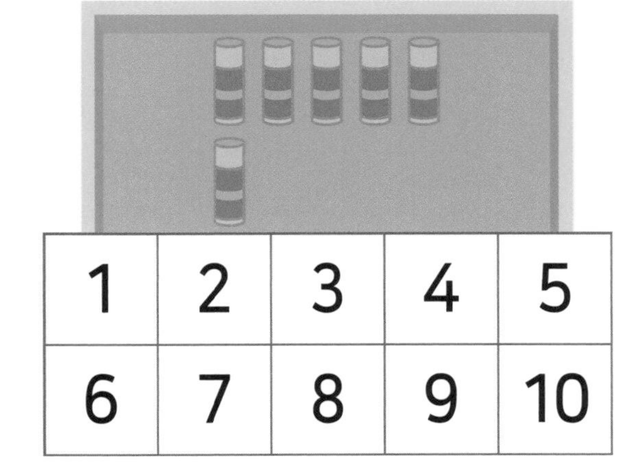

1	2	3	4	5
6	7	8	9	10

1	2	3	4	5
6	7	8	9	10

여섯, 일곱, 여덟 익히기 1

수만큼 ◯를 그리세요.

다섯

여섯

일곱

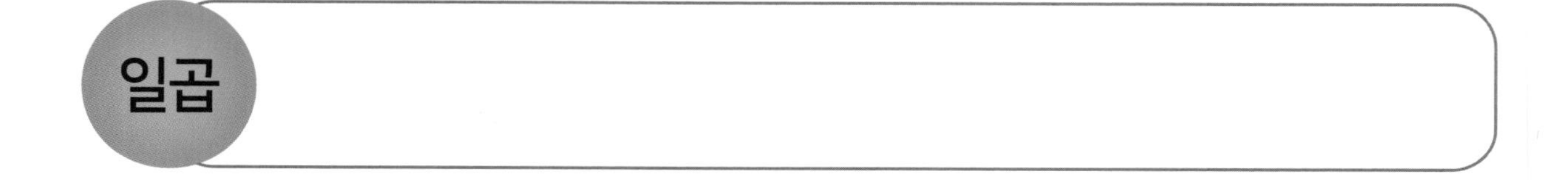
여덟

아홉

열

같은 수를 선으로 이으세요.

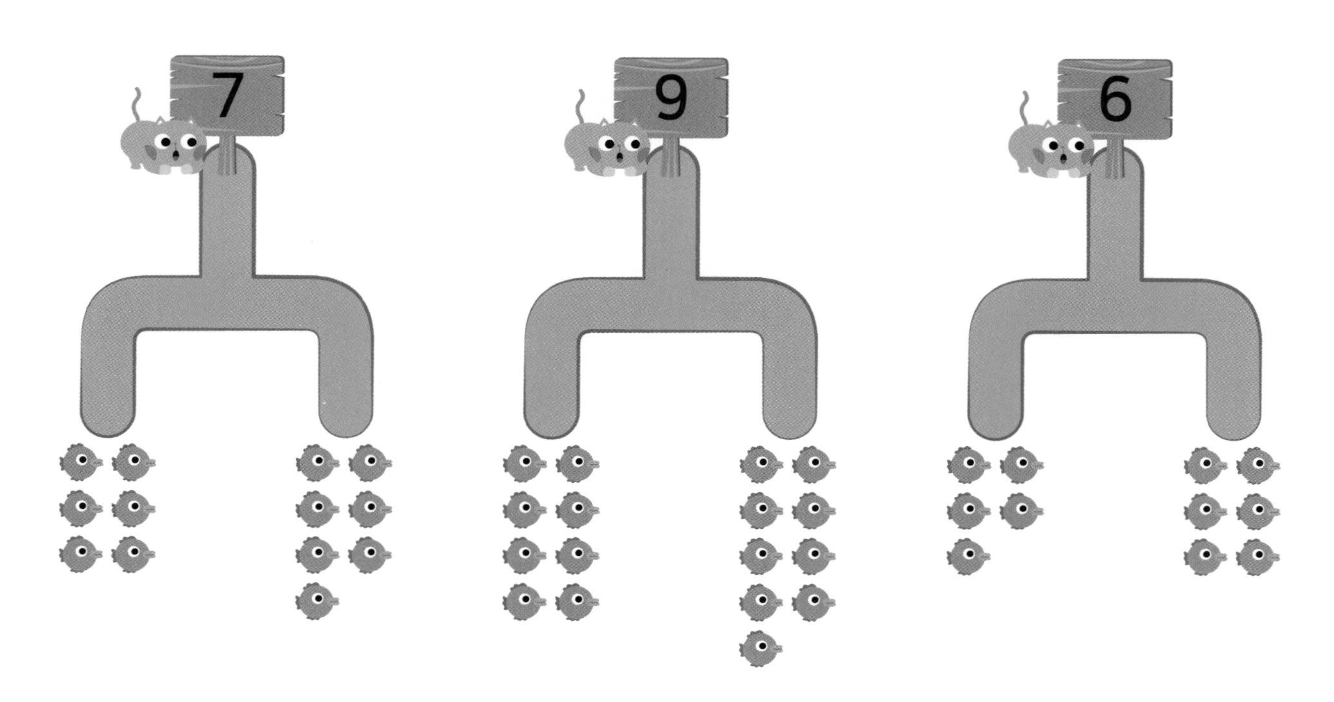

과녁에 꽂힌 화살의 개수를 세어서 수 붙임 딱지를 붙이세요.

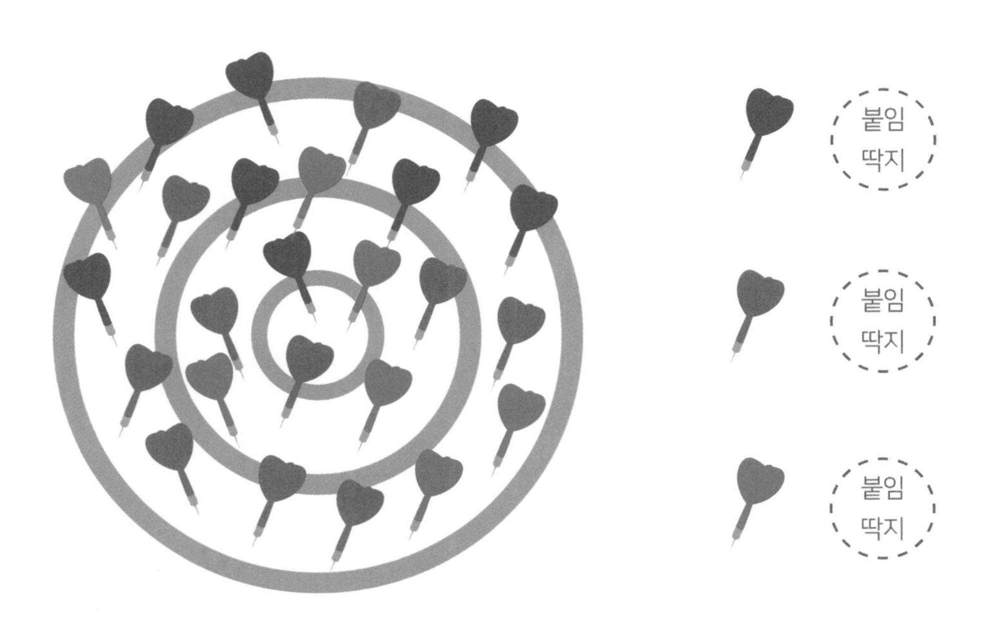

풍선의 개수를 세어 알맞은 수에 ◯표 하세요.

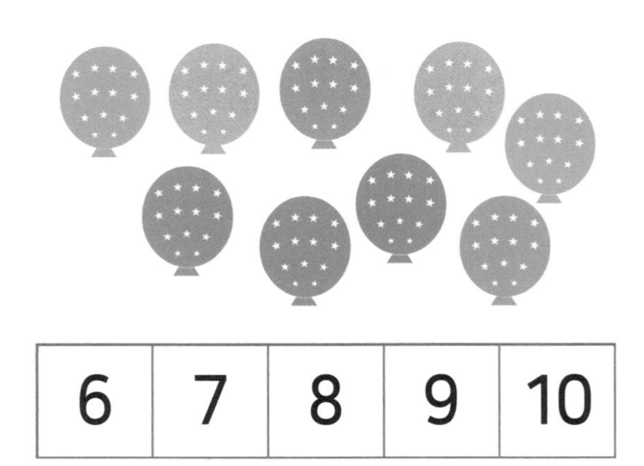

6	7	8	9	10

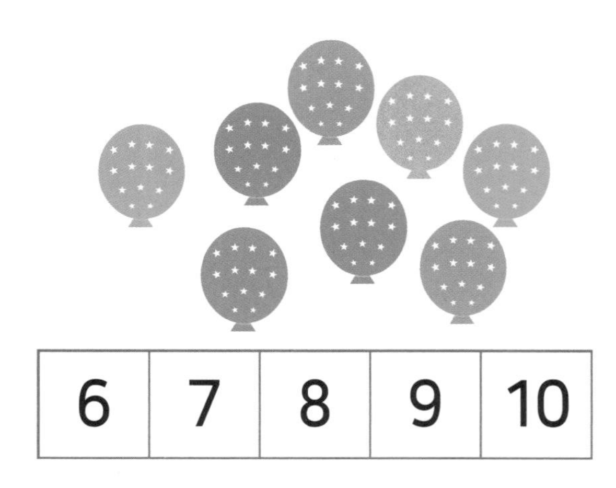

6	7	8	9	10

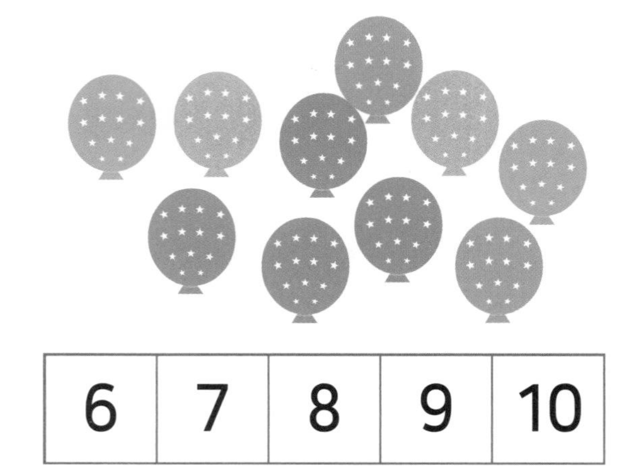

6	7	8	9	10

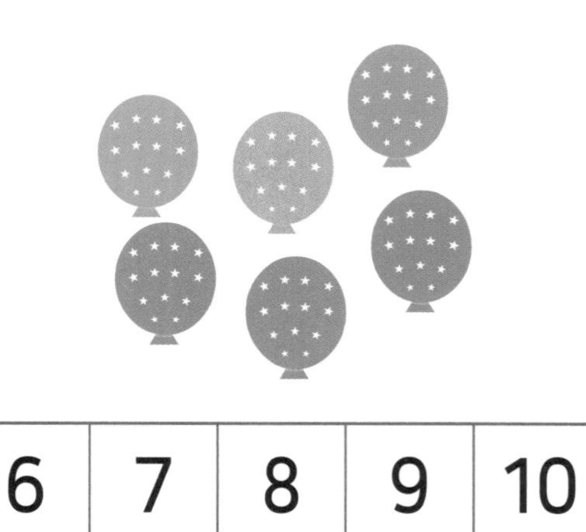

6	7	8	9	10

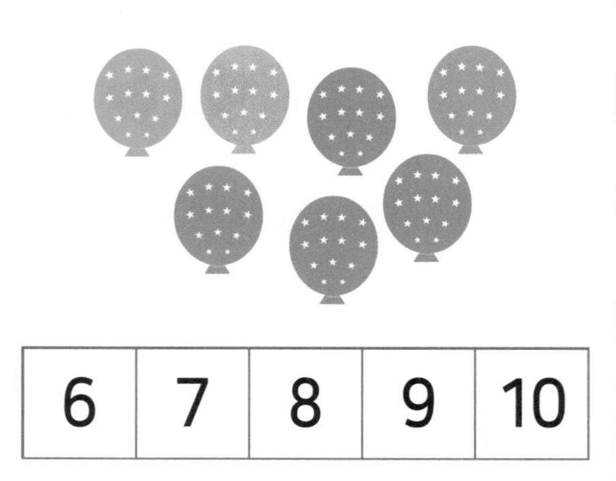

6	7	8	9	10

여섯, 일곱, 여덟 익히기 2

그림은 나무 막대로 모양을 만들고 사용한 나무 막대의 개수를 쓴 것입니다. 수 붙임 딱지

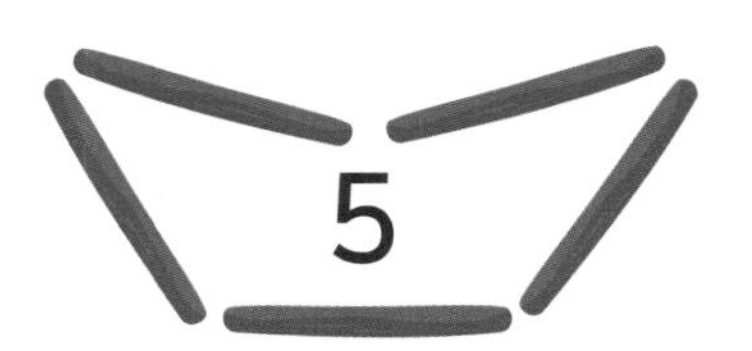

★ 다음 모양 안에 알맞은 수 붙임 딱지를 붙이세요.

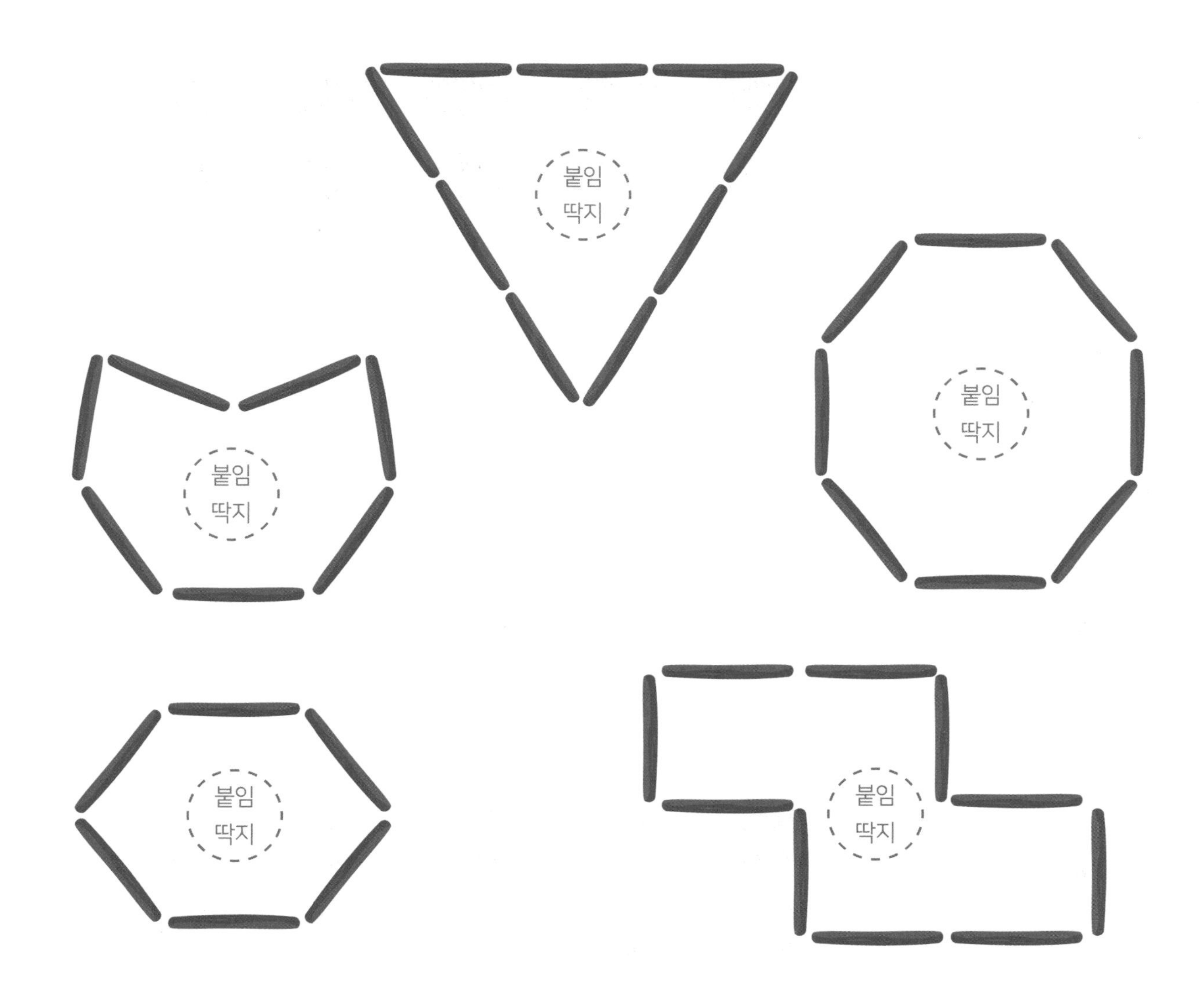

돼지 옆의 수는 돼지가 먹은 빵의 개수를 나타냅니다. 돼지가 먹은 빵의 수만큼 빵에 X표 하세요.

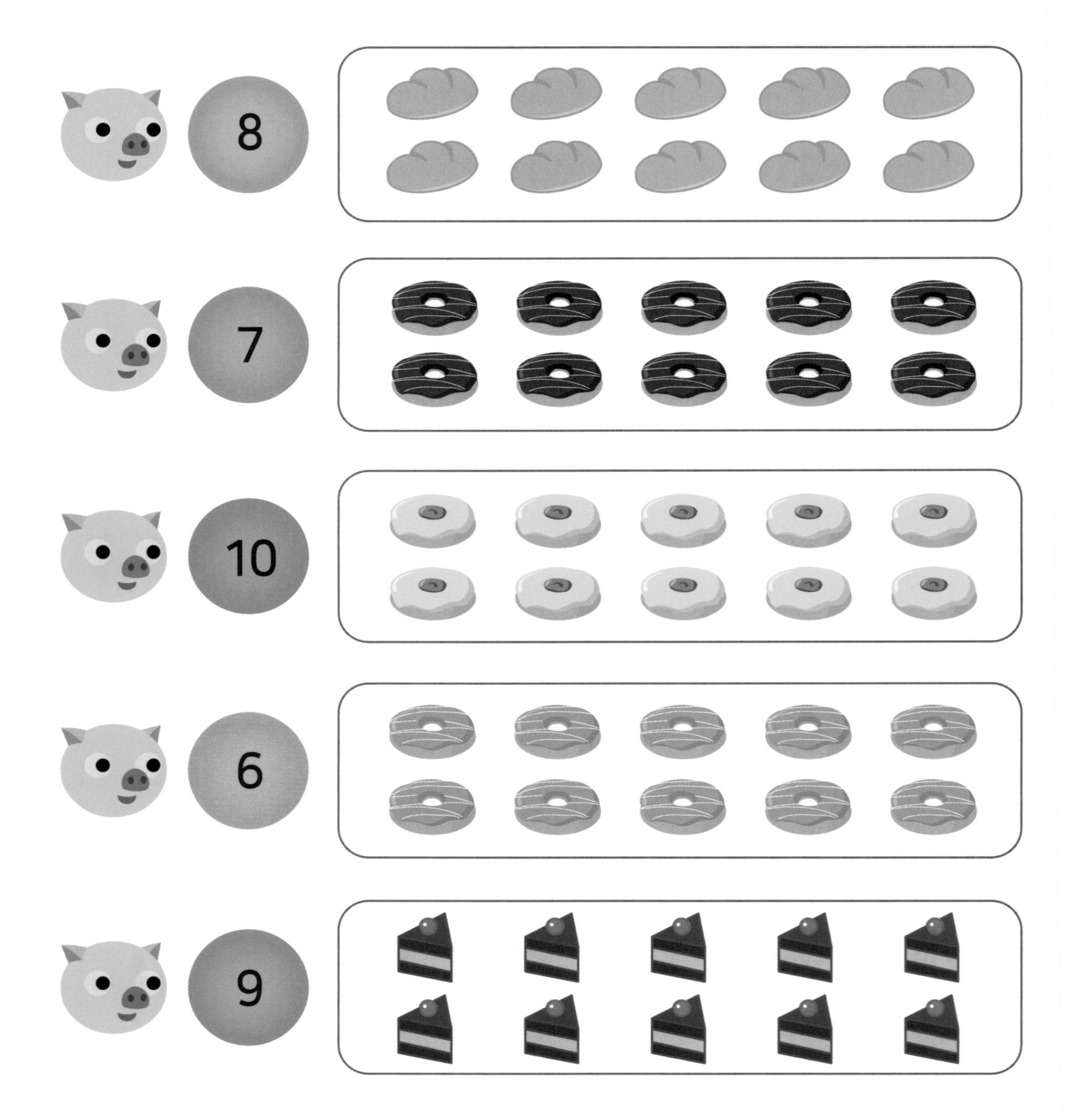

같은 수를 선으로 이으세요.

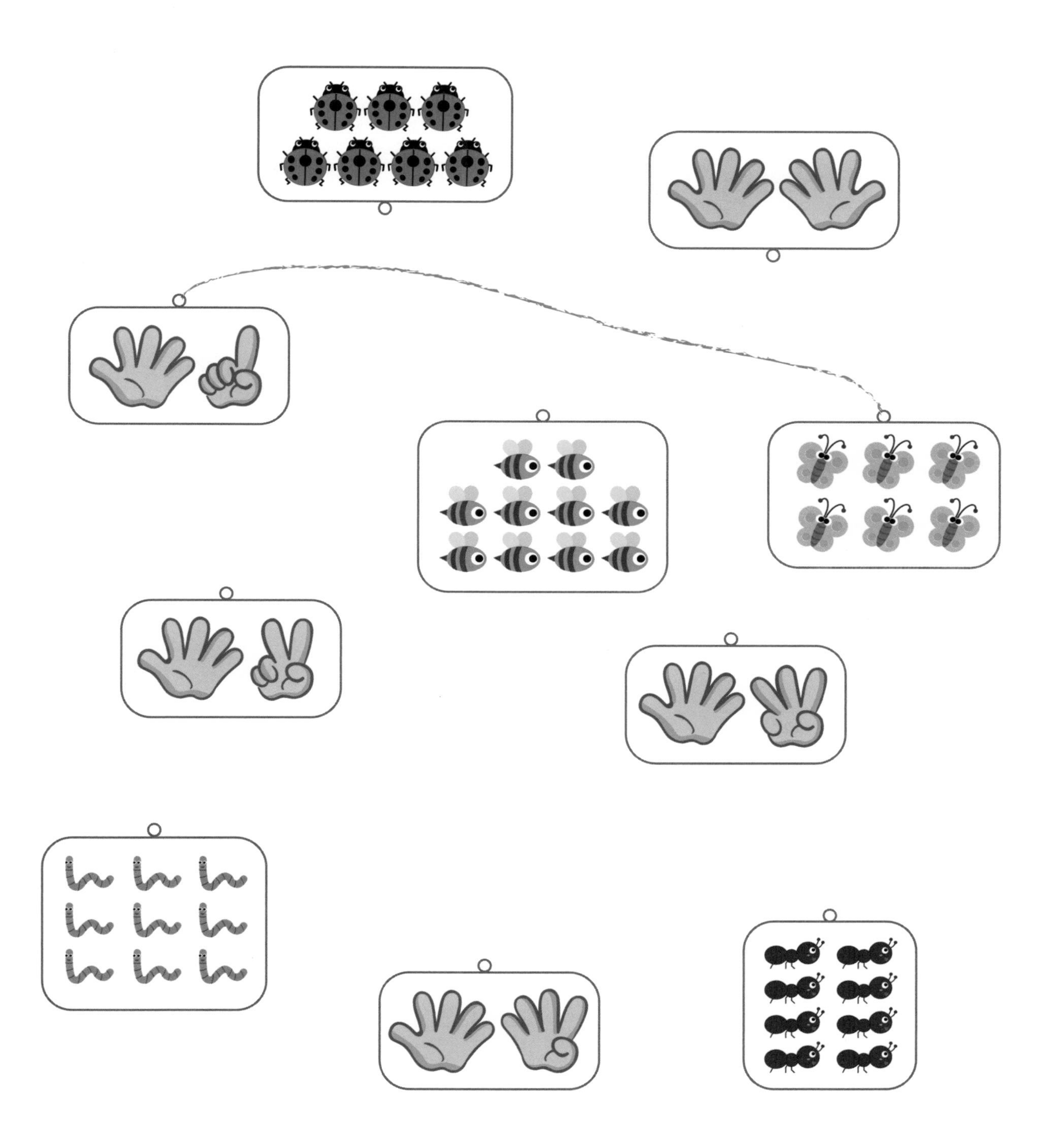

사고력 팡팡 - 무엇의 일부일까?

어떤 동물의 일부인지 말해 보세요.

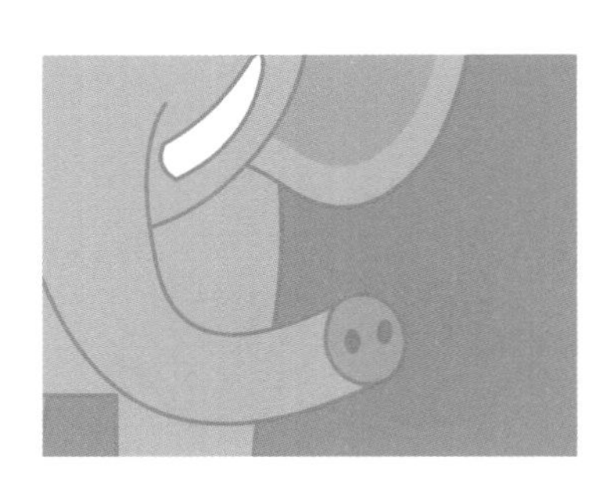

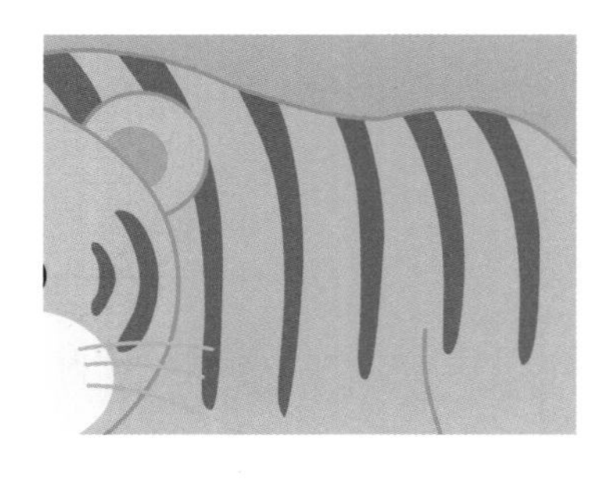

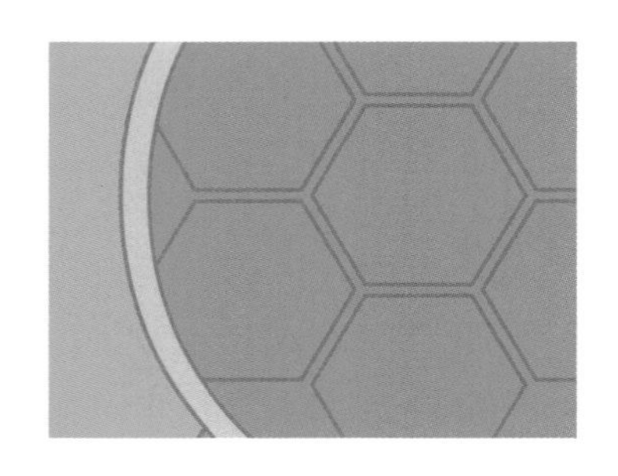

빈 곳에 알맞은 붙임 딱지를 붙이세요.

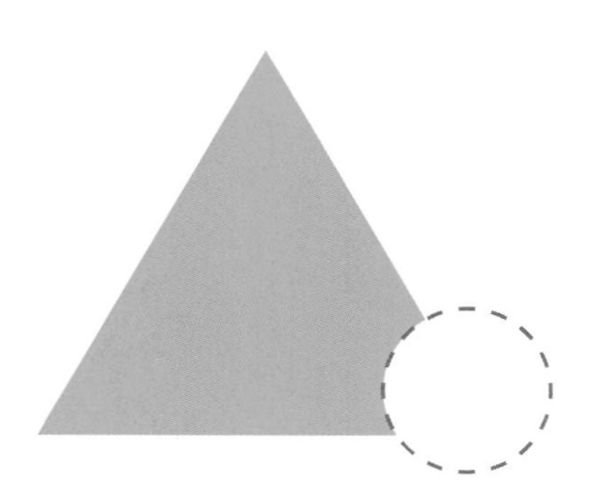

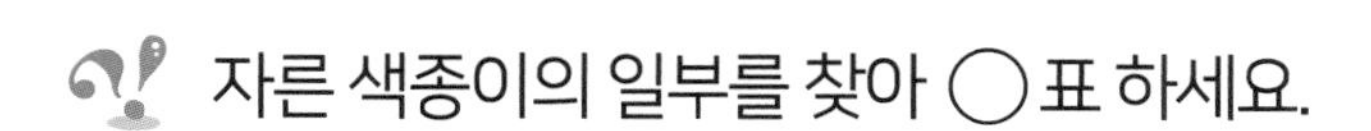

자른 색종이의 일부를 찾아 ◯표 하세요.

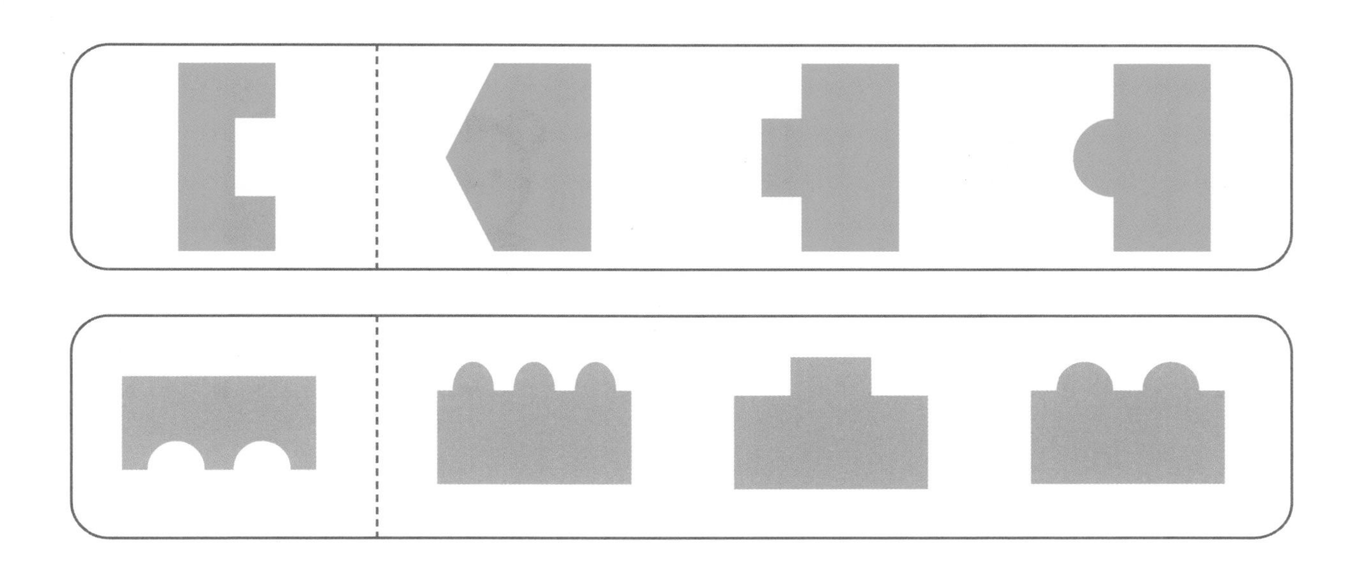

자동차의 반쪽을 찾아 붙임 딱지를 붙이세요.

붙임 딱지 1

같은 그림의 반쪽을 선으로 이으세요.

육, 칠, 팔과 여섯째, 일곱째, 여덟째

육, 칠, 팔로 읽기와 순서를 나타내는 여섯째, 일곱째, 여덟째를 공부합니다. 1일차와 2일차는 일, 이, 삼,…의 순서로 세어서 육, 칠, 팔, 구, 십까지 말하여 답을 찾도록 지도해 주세요.

육, 칠, 팔

공부한 날~! 월 일

일, 이, 삼으로 세어서 색칠된 구슬이 수만큼 되도록 색칠하세요.

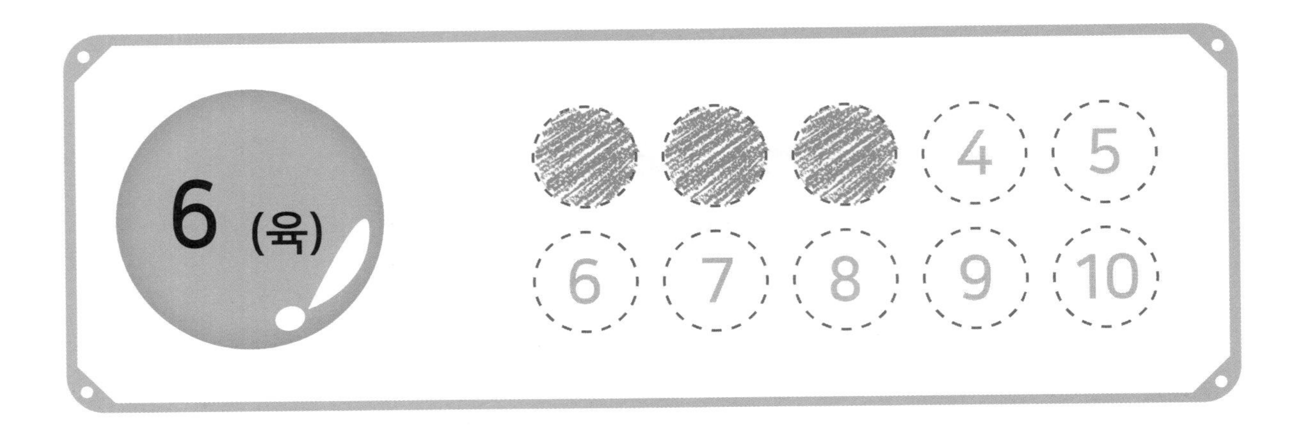

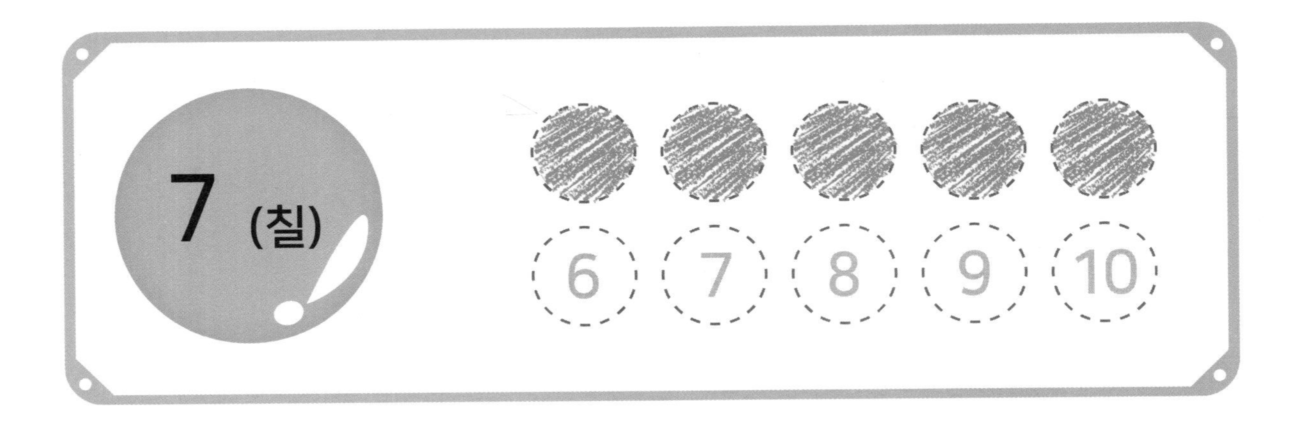

일, 이, 삼으로 세어서 색칠된 구슬이 수만큼 되도록 색칠하세요.

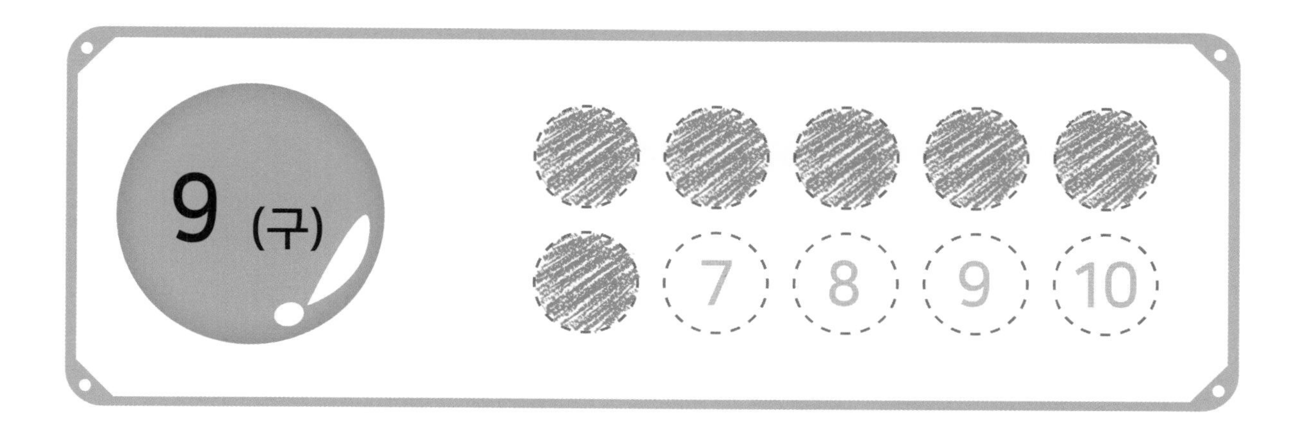

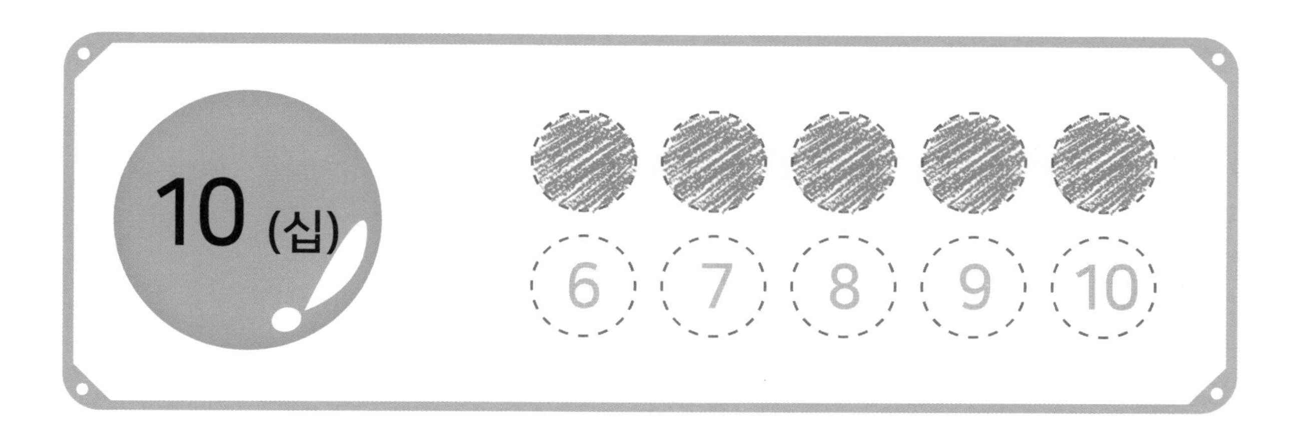

그림을 일, 이, 삼으로 세어서 알맞은 수 붙임 딱지를 붙이세요.

수 붙임 딱지

붙임 딱지

붙임 딱지

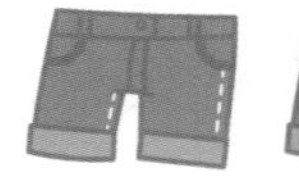
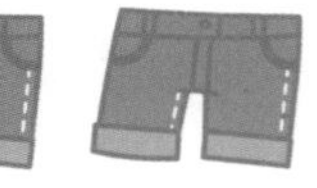
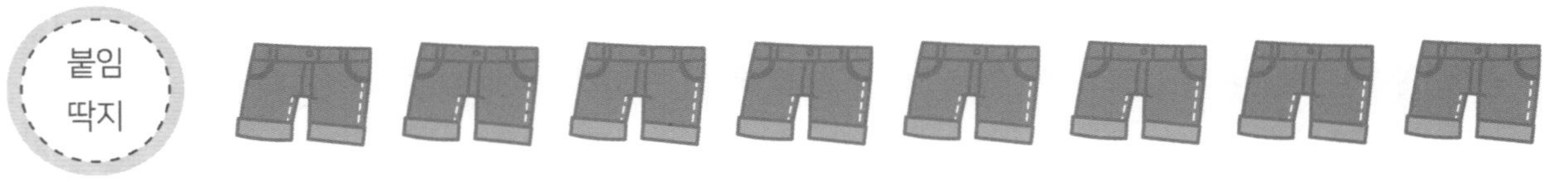
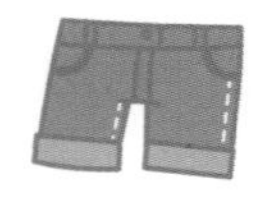
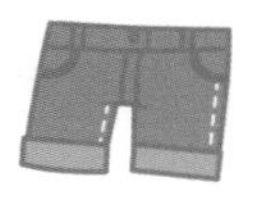

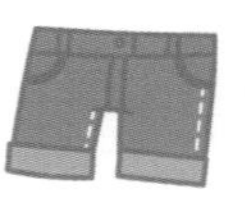
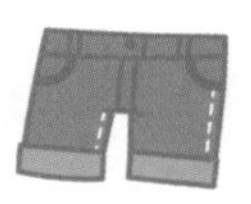
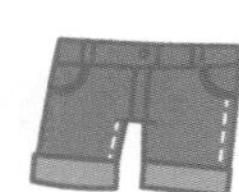

붙임 딱지

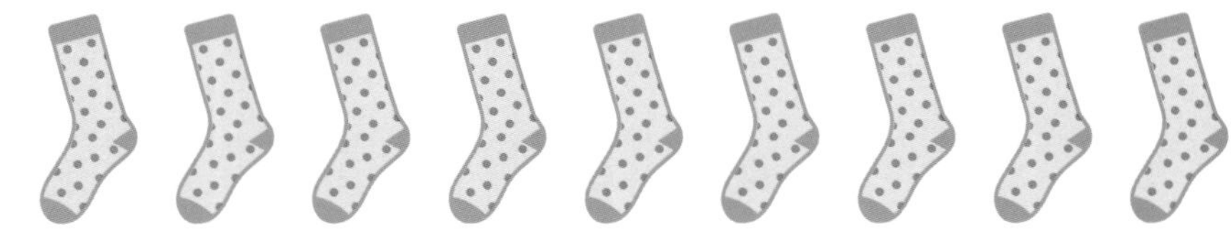

붙임 딱지

붙임 딱지

2일

육, 칠, 팔 익히기

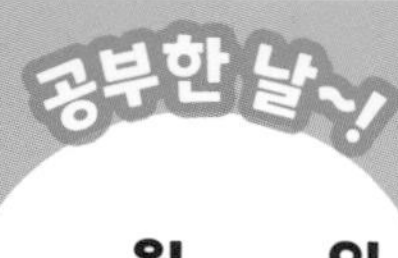

일, 이, 삼으로 동물의 수를 세어 알맞은 수 붙임 딱지를 붙이세요.

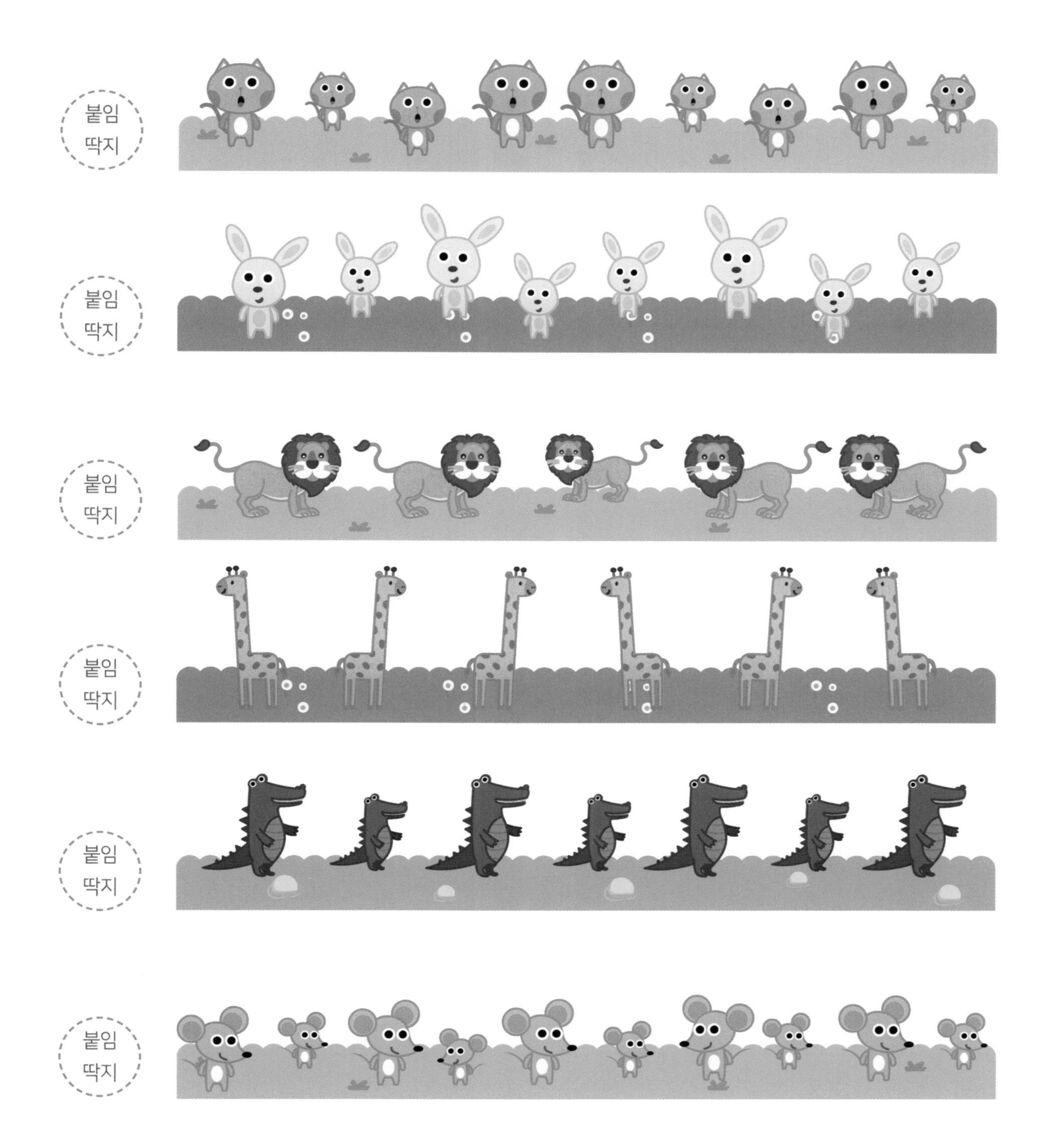

같은 수를 선으로 이으세요.

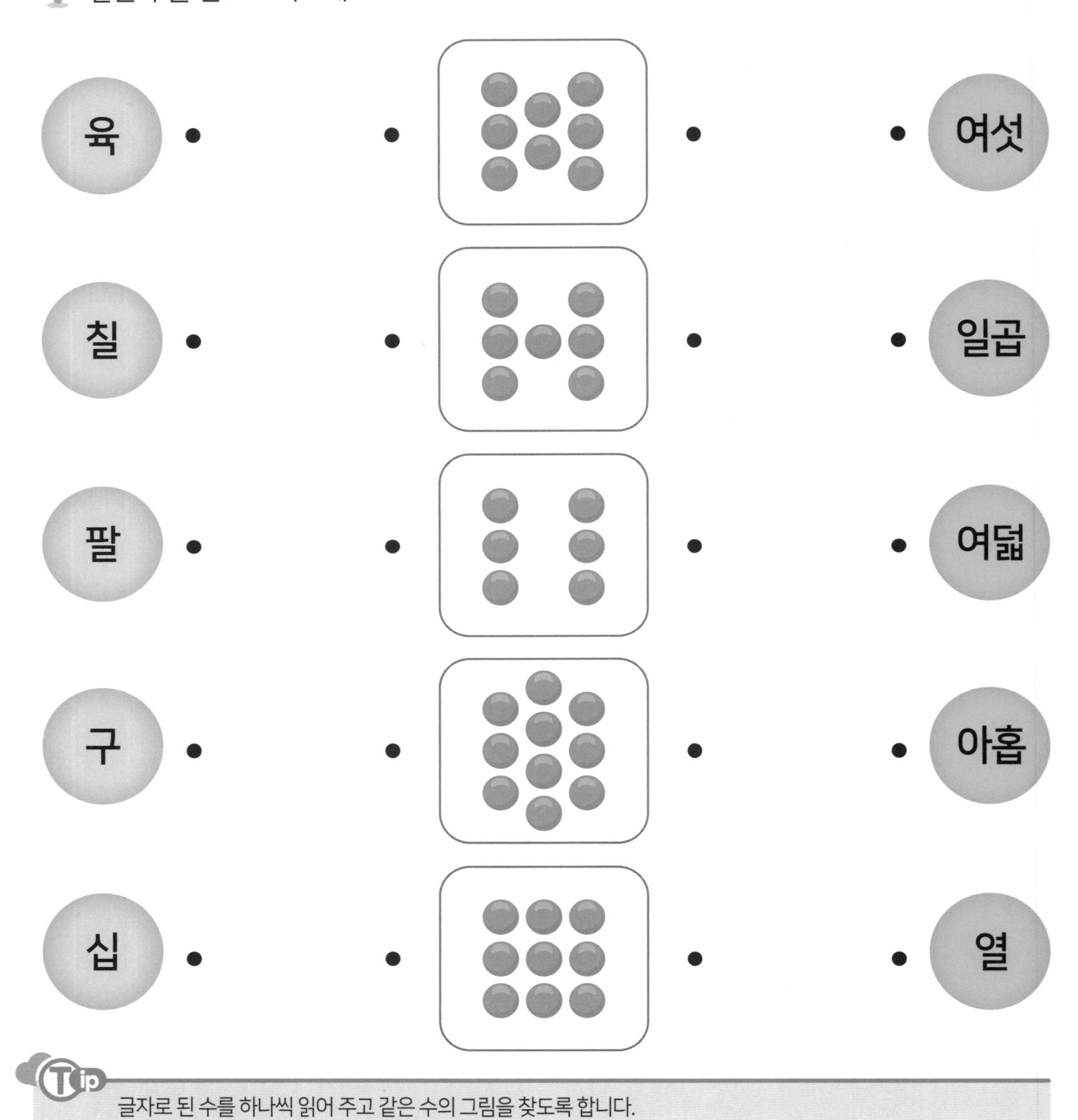

Tip
글자로 된 수를 하나씩 읽어 주고 같은 수의 그림을 찾도록 합니다.

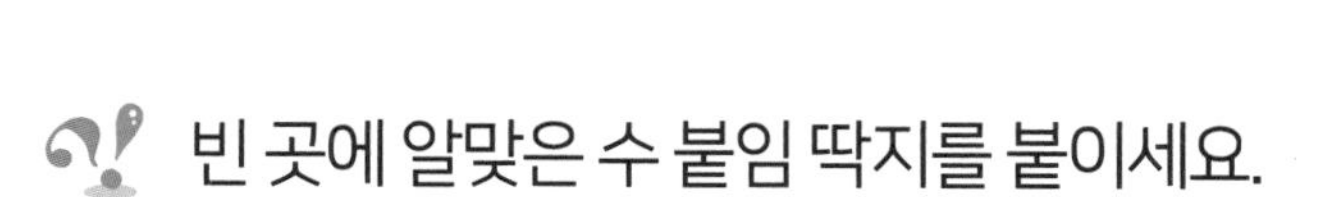

빈 곳에 알맞은 수 붙임 딱지를 붙이세요.

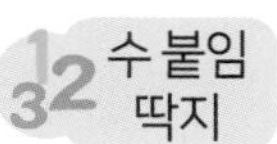

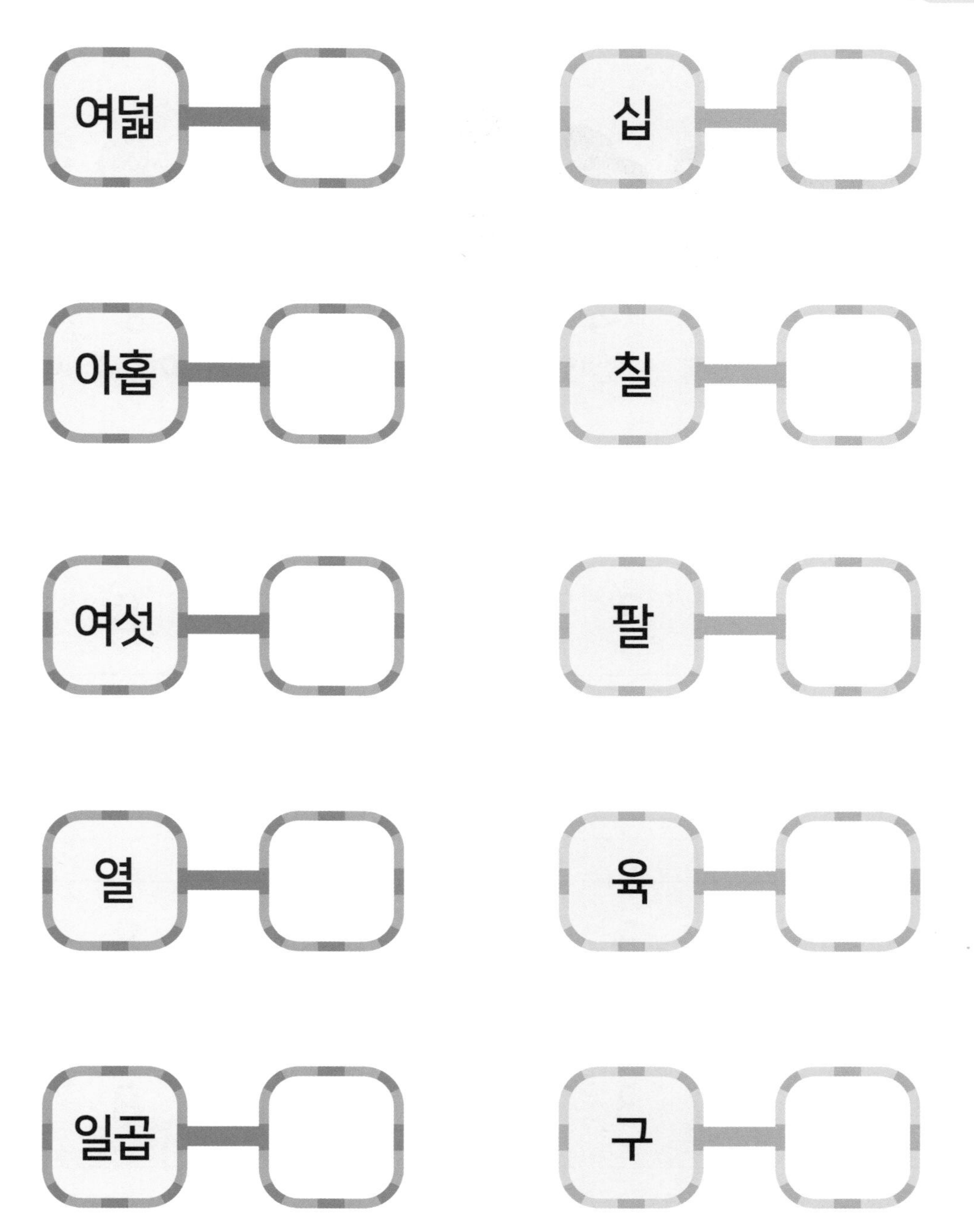

Tip
글자로 된 수를 하나씩 읽어 주고 수 붙임 딱지를 찾도록 합니다.

3일

여섯째, 일곱째, 여덟째

순서대로 줄을 서 있을 때는 다음과 같이 말합니다.

순서에 알맞은 수를 색칠하세요.

들고 있는 수의 순서대로 붙임 딱지를 붙이세요.

붙임 딱지 1

붙임 딱지	붙임 딱지	붙임 딱지	붙임 딱지	붙임 딱지
여섯째(6)	일곱째(7)	여덟째(8)	아홉째(9)	열째(10)

붙임 딱지	붙임 딱지	붙임 딱지	붙임 딱지	붙임 딱지
여섯째(6)	일곱째(7)	여덟째(8)	아홉째(9)	열째(10)

화살표 방향으로 순서를 세어 색칠하세요.

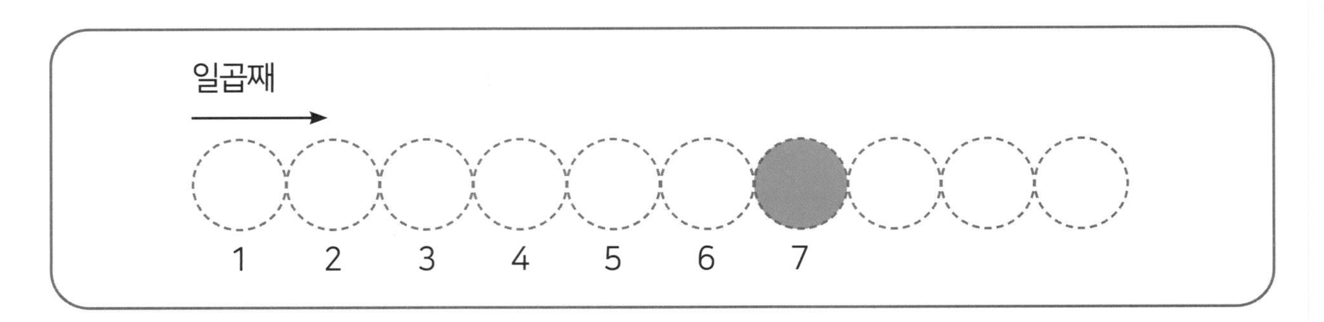

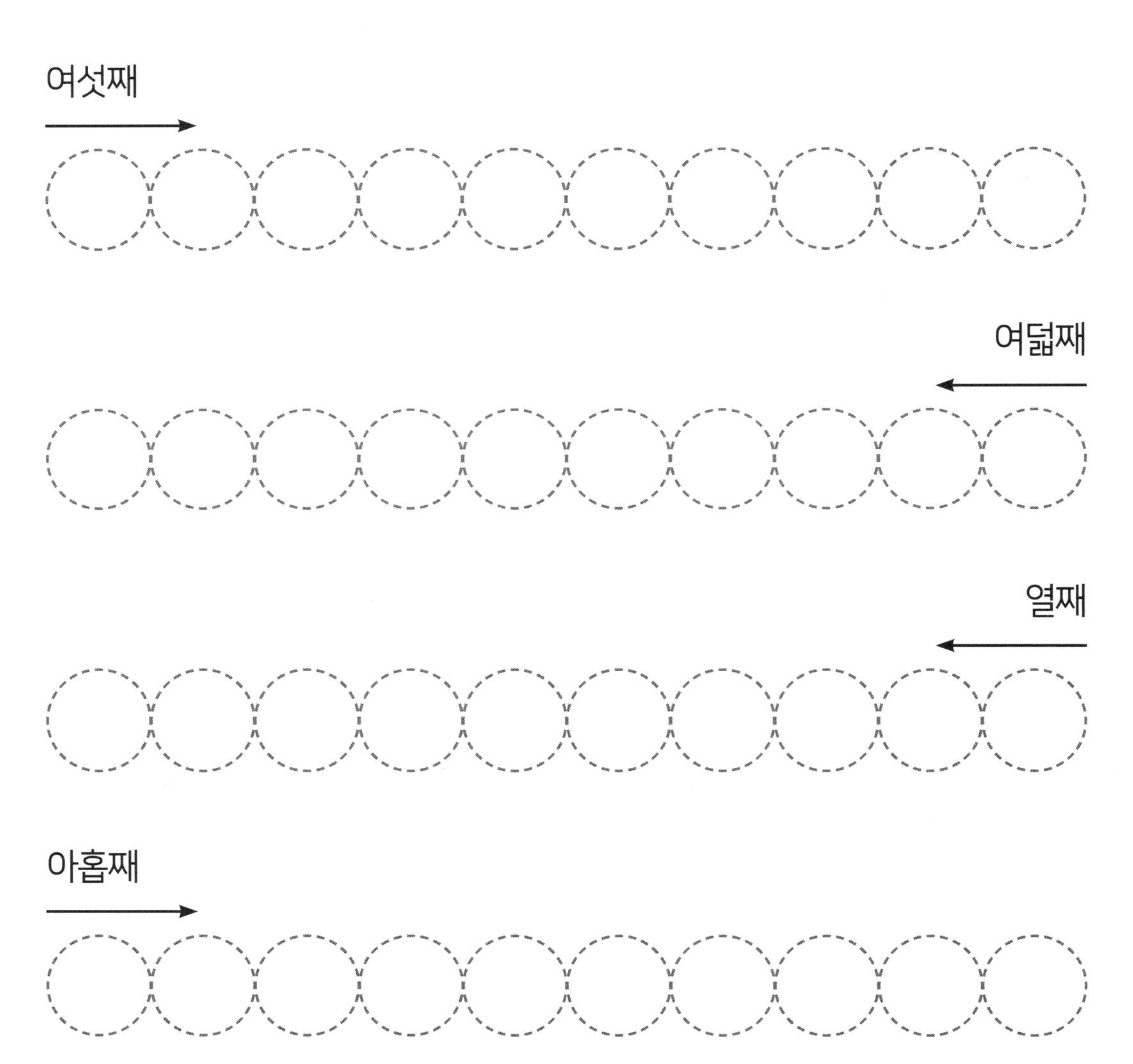

4일 여섯째, 일곱째, 여덟째 익히기

공부한 날~! 월 일

순서에 알맞은 붙임 딱지를 붙이세요. 붙임 딱지 2

붙임 딱지	붙임 딱지	붙임 딱지	붙임 딱지	붙임 딱지
여덟째	열째	여섯째	일곱째	아홉째

붙임 딱지	붙임 딱지	붙임 딱지	붙임 딱지	붙임 딱지
열째	여덟째	일곱째	아홉째	여섯째

순서에 알맞은 수 붙임 딱지를 붙이세요.

수 붙임 딱지

책을 쌓았습니다. 책을 쌓은 순서에 알맞게 빈 곳에 알맞은 책 붙임 딱지를 붙이세요.

붙임 딱지 2

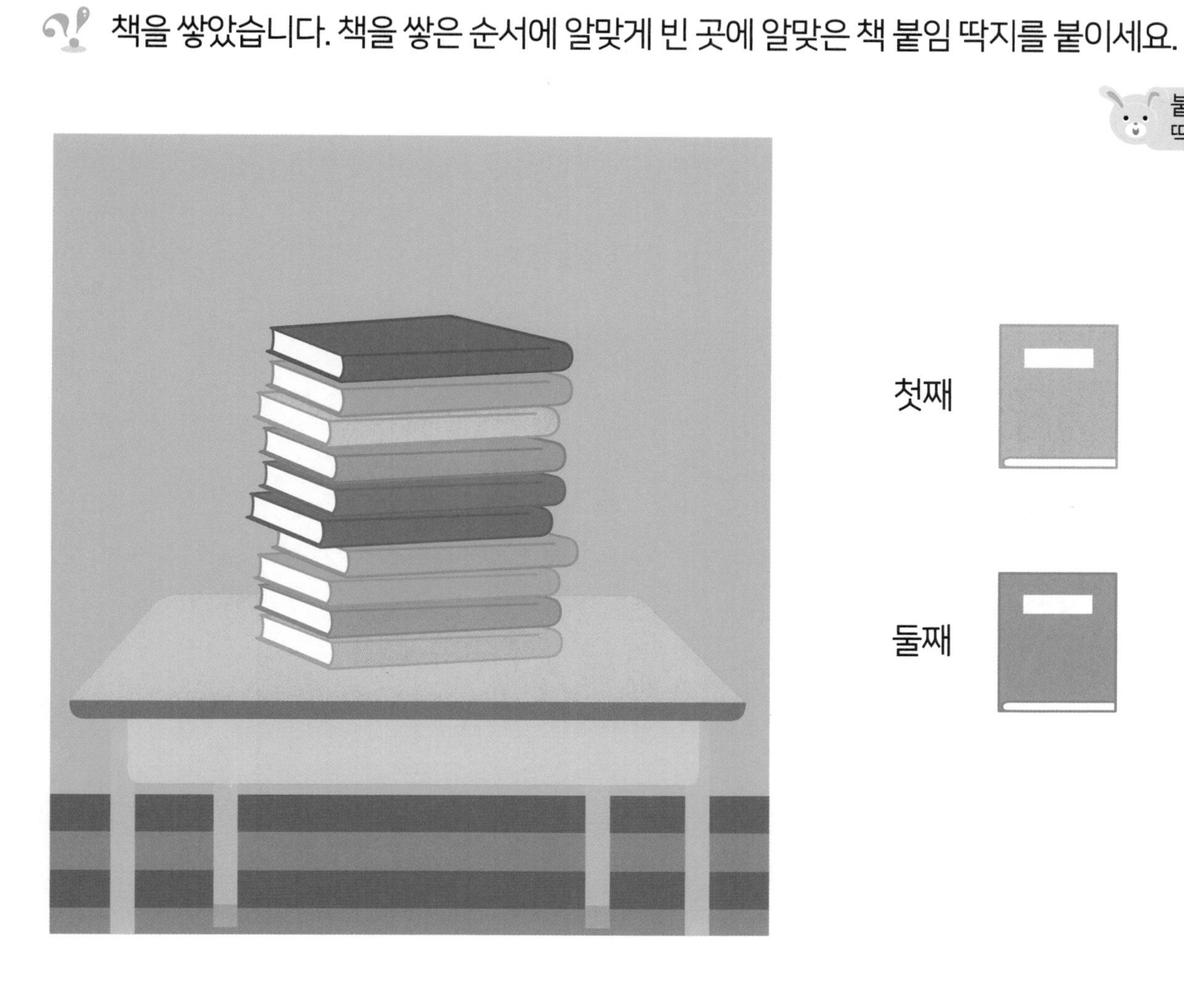

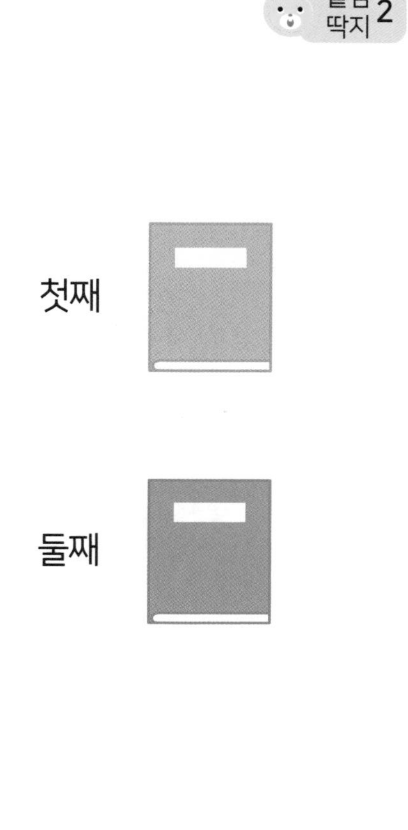

일곱째	붙임 딱지	여덟째	붙임 딱지
여섯째	붙임 딱지	열째	붙임 딱지

사고력 팡팡 - 같은 것 찾기

숨은 그림을 찾아서 ◯표 하세요.

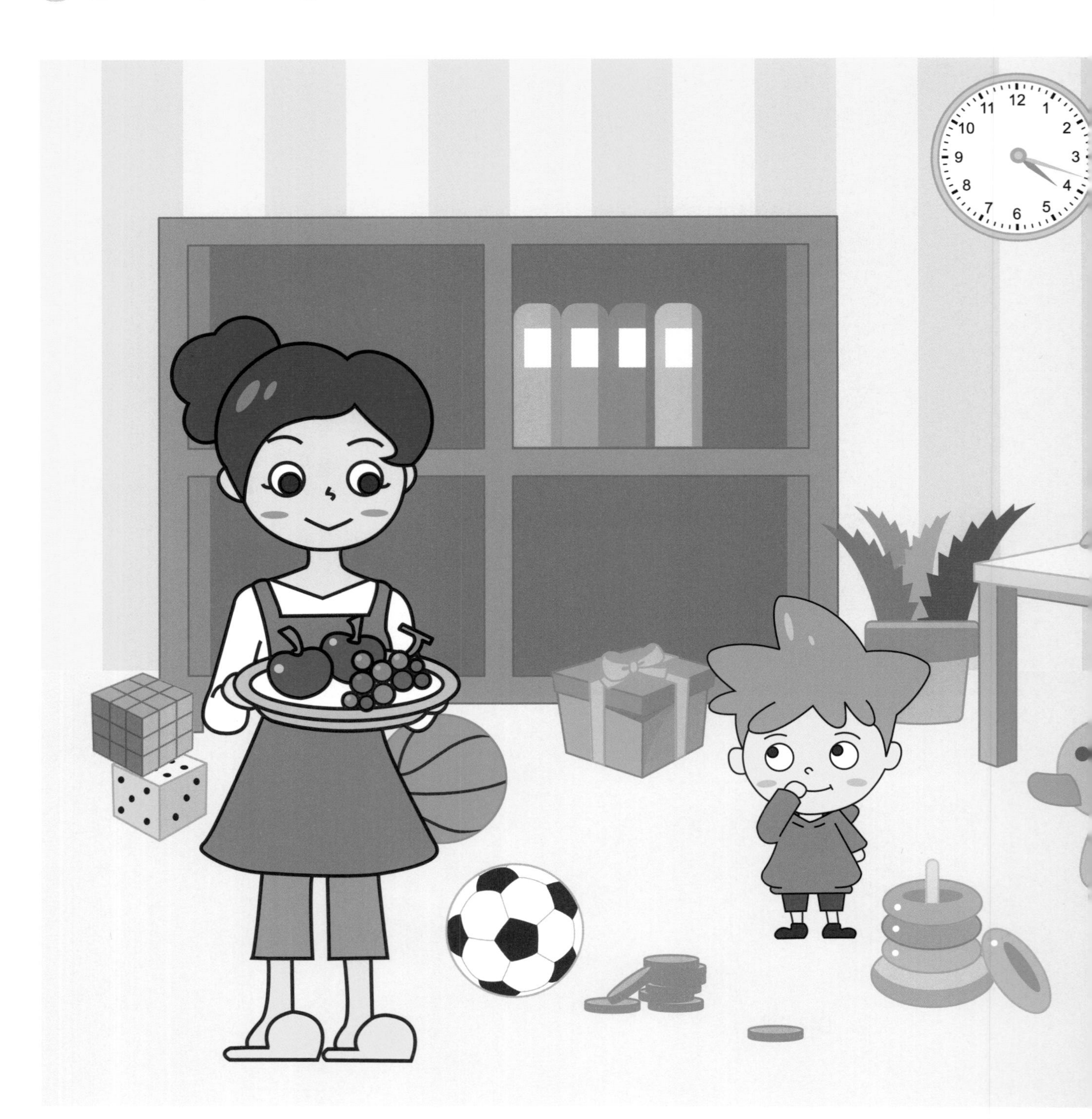

숨은 그림 :

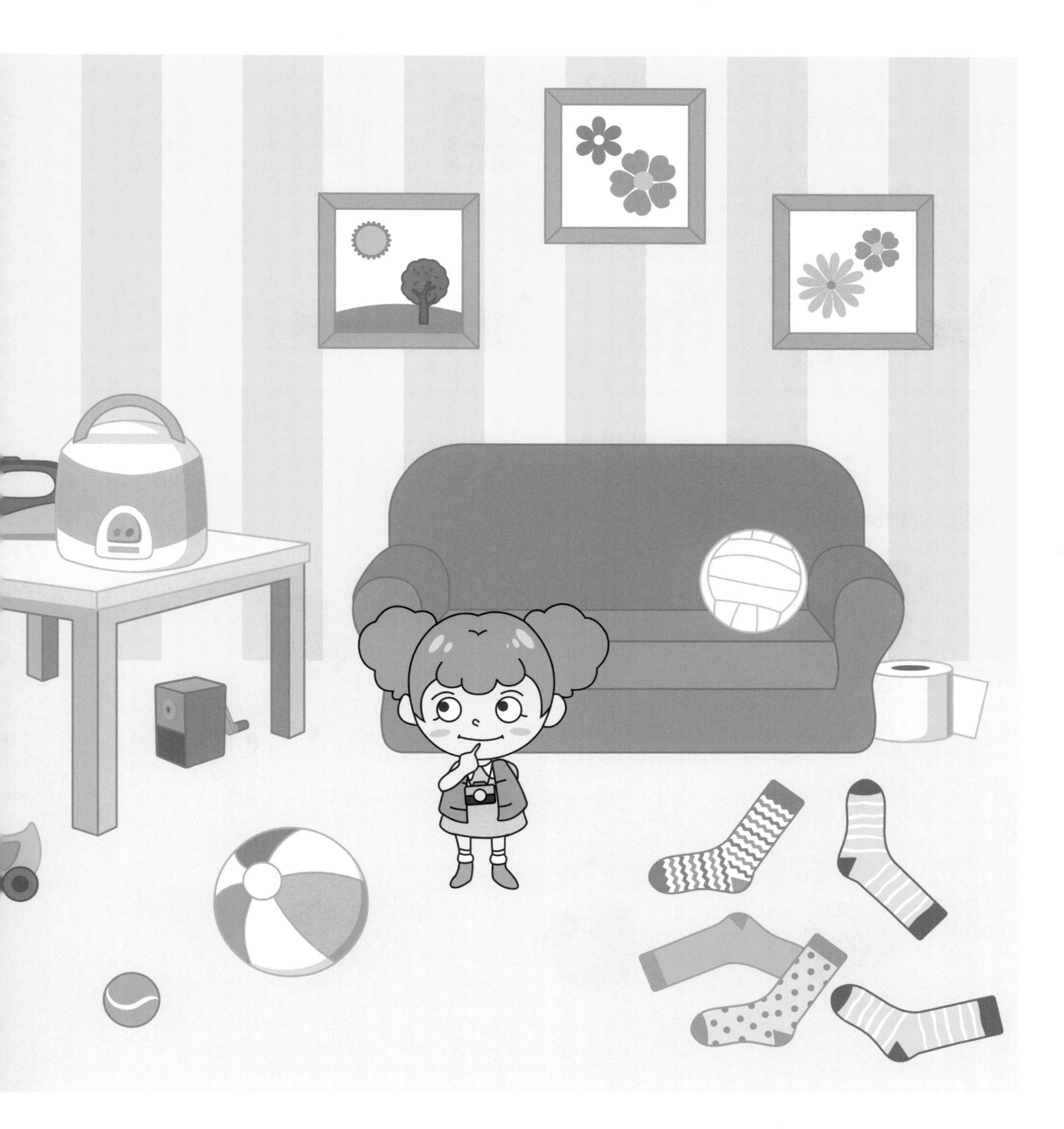

그림에 알맞은 그림자에 ◯표 하세요.

같은 팽이끼리 선으로 이으세요.

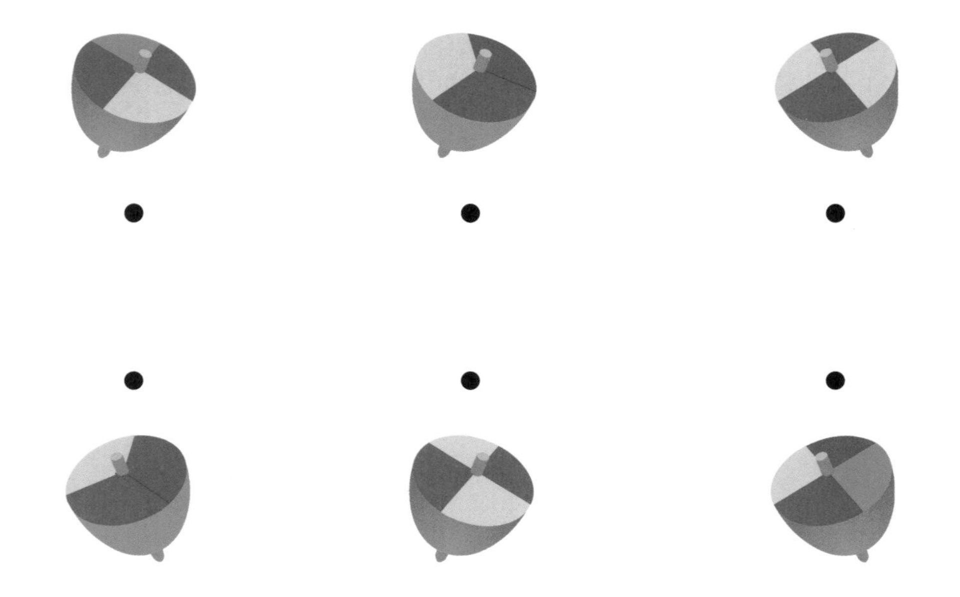

10까지 수의 순서

10까지의 수의 순서를 다양한 문제로 공부합니다. 순서를 알면 간단한 덧셈, 뺄셈을 계산할 수 있습니다. 사고력 팡팡에서는 닮은 그림을 찾아봅니다.

10까지 수의 순서

공부한 날~! 월 일

엘리베이터 버튼에 순서대로 수 붙임 딱지를 붙이세요.

수 붙임 딱지

계단에 순서대로 수 붙임 딱지를 붙이세요.

여러 가지 붙임 딱지를 순서대로 붙이세요.

붙임 딱지 2

1	2	3	4	5
6	7	8	9	10

순서대로 선 잇기

1에서 10까지의 수를 차례로 지나는 길을 그리세요.

1에서 10까지의 수를 차례로 잇는 선을 그려서 그림을 완성하세요.

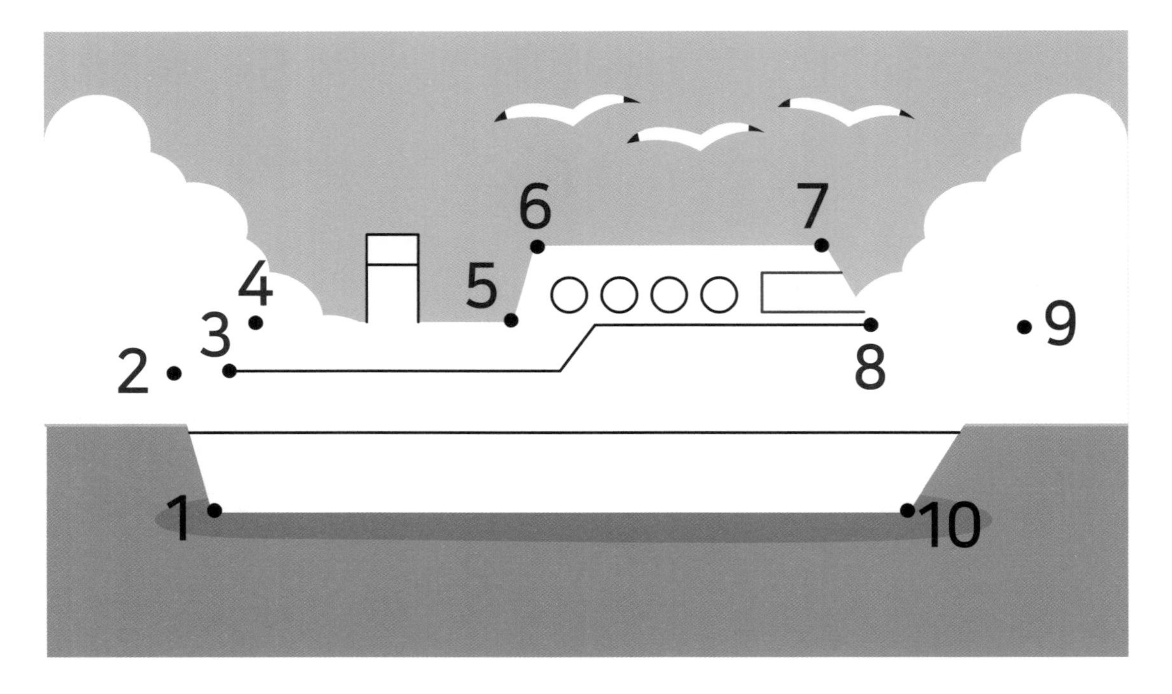

1에서 10까지의 수를 차례로 잇는 선을 그려서 그림을 완성하세요.

순서 퍼즐

1에서 10까지의 수를 순서대로 선으로 이으세요.

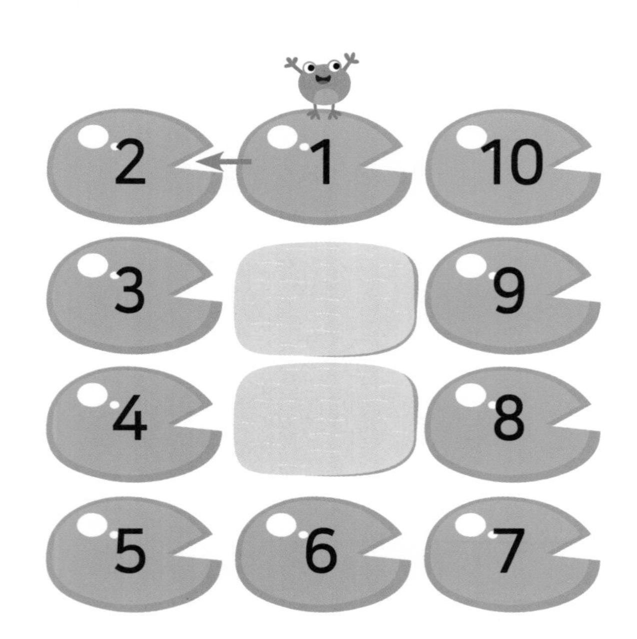

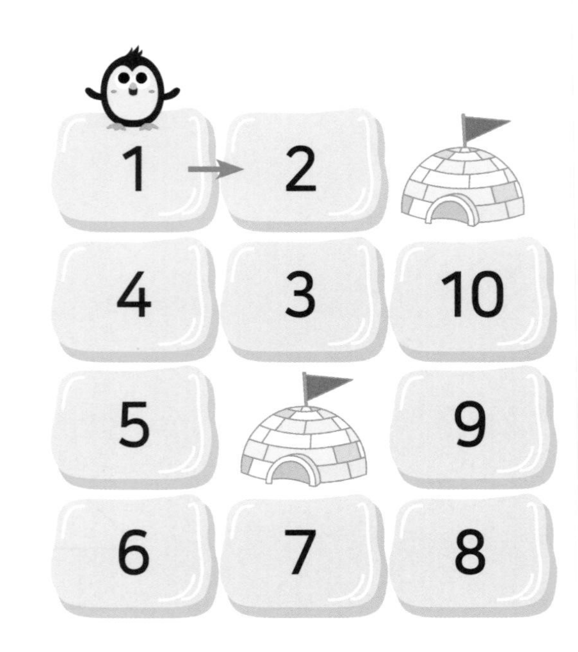

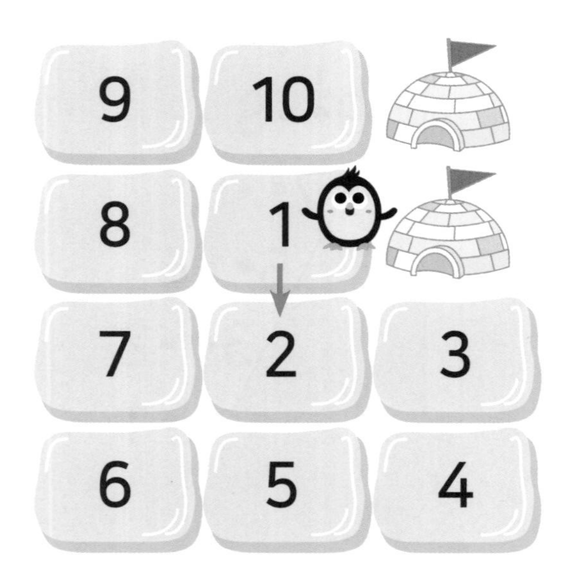

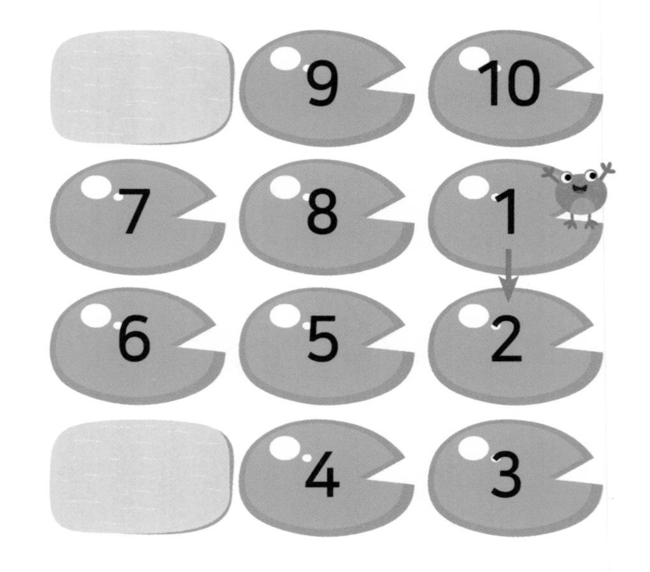

1에서 10까지의 수를 순서대로 선으로 이으세요.

1 →	2	4	6
5	3	6	7
6	4	5	8
5	7	10	9

5	1 ↓	8	7
3	2	9	10
4	6	8	6
5	6	7	9

4	2	← 1	8
10	3	7	9
9	4	5	4
8	7	6	5

5	2	3	2
3	↑ 1	4	5
8	6	7	6
10	9	8	1

1에서 10까지의 수를 순서대로 이어 집으로 가는 길을 그리세요.

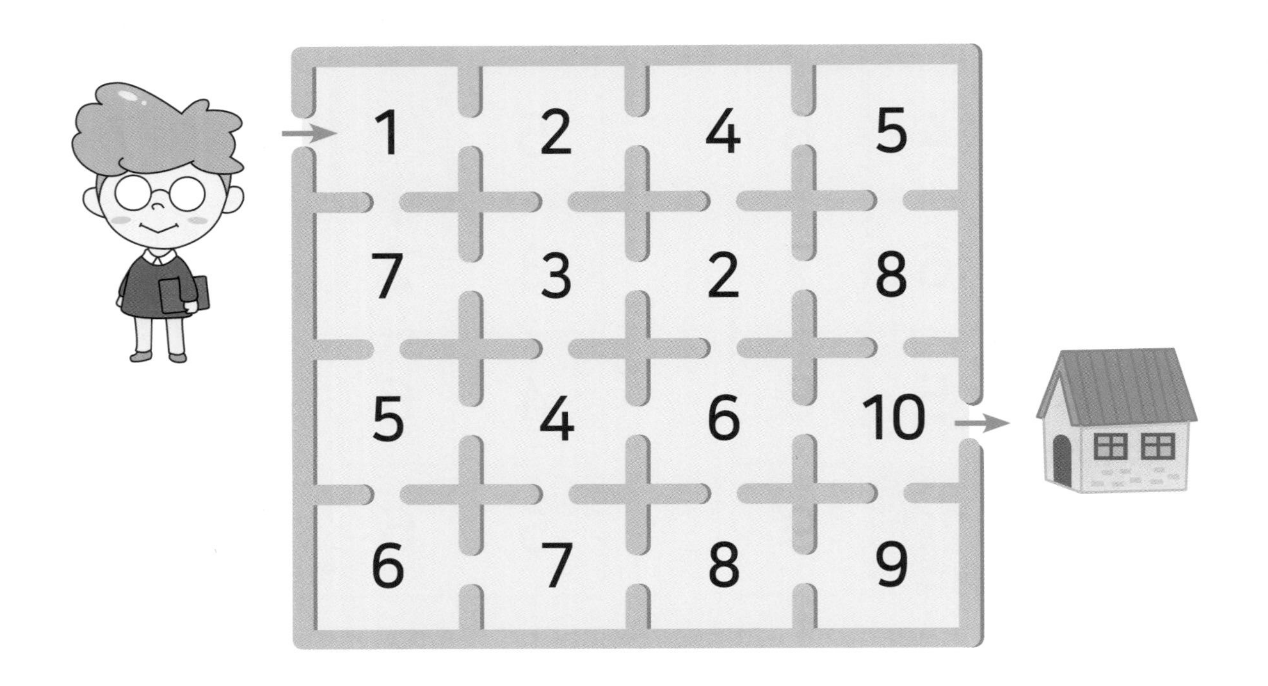

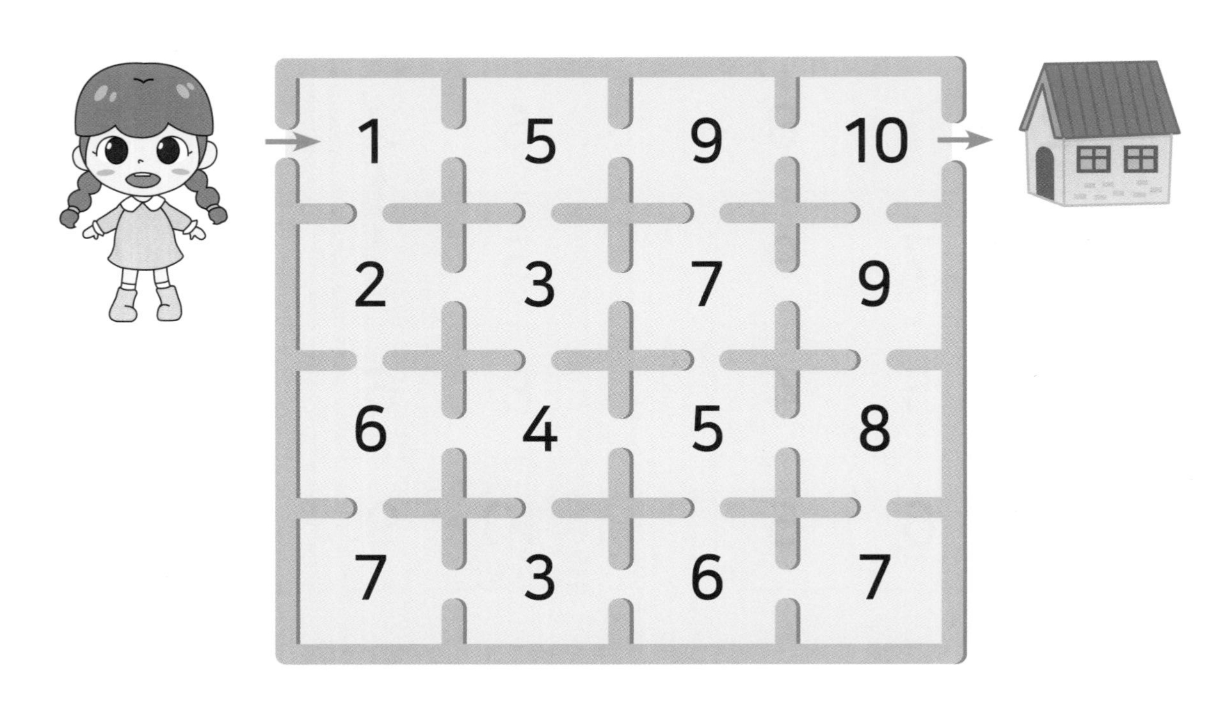

사라진 수

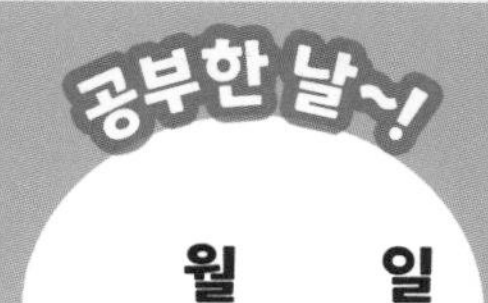

빈 곳에 알맞은 수 붙임 딱지를 붙이세요.

수 붙임 딱지

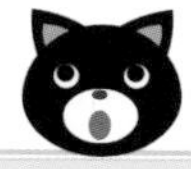

1	2	붙임 딱지	4	5	붙임 딱지	7	8	붙임 딱지	10

1	붙임 딱지	3	4	5	붙임 딱지	7	8	9	붙임 딱지

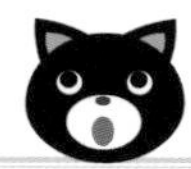

붙임 딱지	2	3	붙임 딱지	5	6	7	붙임 딱지	9	10

1	2	붙임 딱지	4	붙임 딱지	6	붙임 딱지	8	붙임 딱지	10

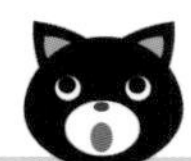

1	붙임 딱지	3	4	붙임 딱지	6	7	붙임 딱지	9	10

붙임 딱지	2	3	붙임 딱지	5	6	붙임 딱지	8	9	붙임 딱지

빈 곳에 알맞은 수 붙임 딱지를 붙이세요.

수 붙임 딱지

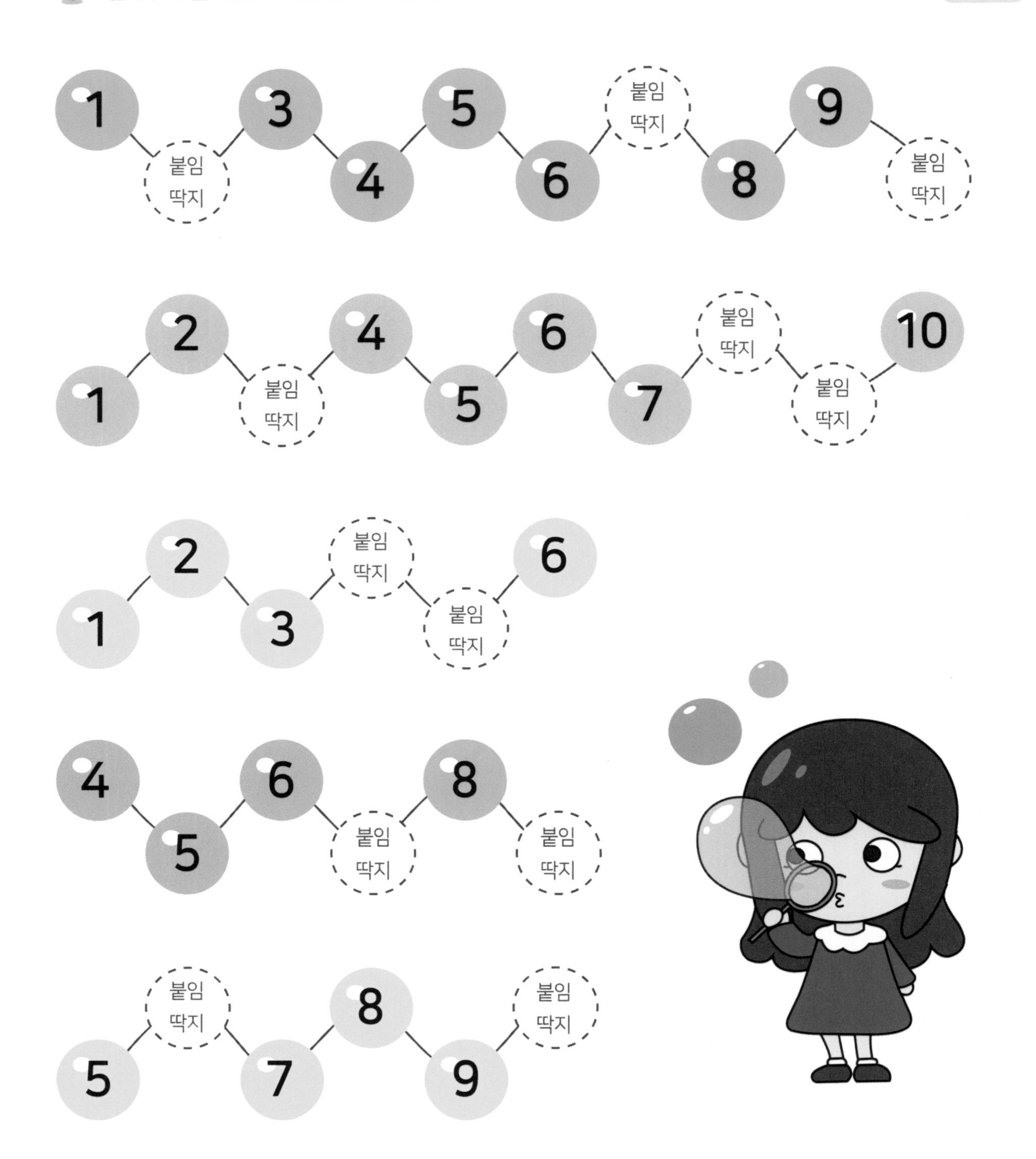

빈 곳에 알맞은 수 붙임 딱지를 붙이세요.

사고력 팡팡 - 닮은 것

월 일

닮은 모양의 물건 붙임 딱지를 □ 안에 붙이세요.

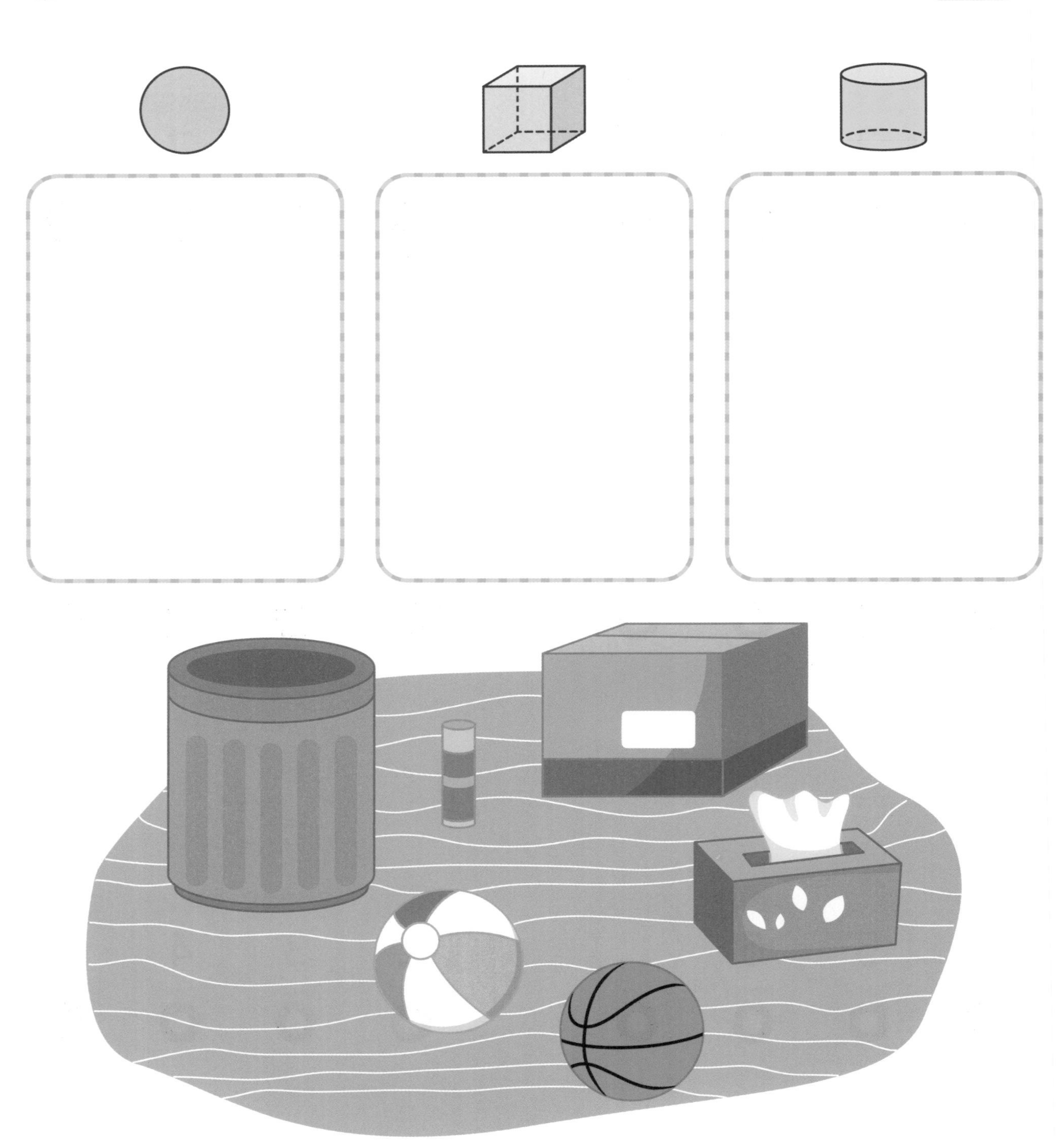

닮은 모양을 선으로 이으세요.

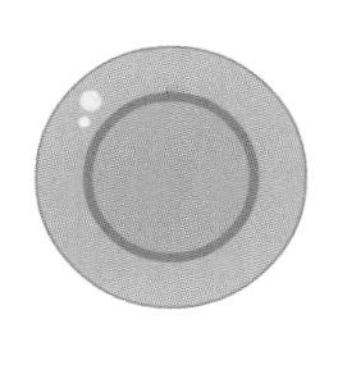

상황이 같은 것끼리 선으로 이으세요.

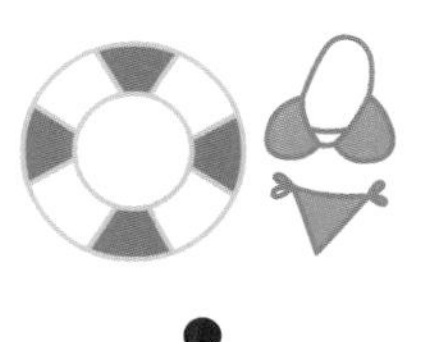

아빠 동물과 엄마 동물을 찾아서 선으로 이으세요.

10까지의 수 세기

그림을 보고 수를 셀 수 있습니다. 이 단원에서는 없음을 나타내는 0을 추가로 배웁니다. 5일차 사고력 팡팡에서는 속성에 따라 분류하기를 공부합니다.

개수 세기

공부한 날~! 월 일

과일의 개수에 맞게 수 붙임 딱지를 차례로 붙여서 세어 보세요.

수 붙임 딱지

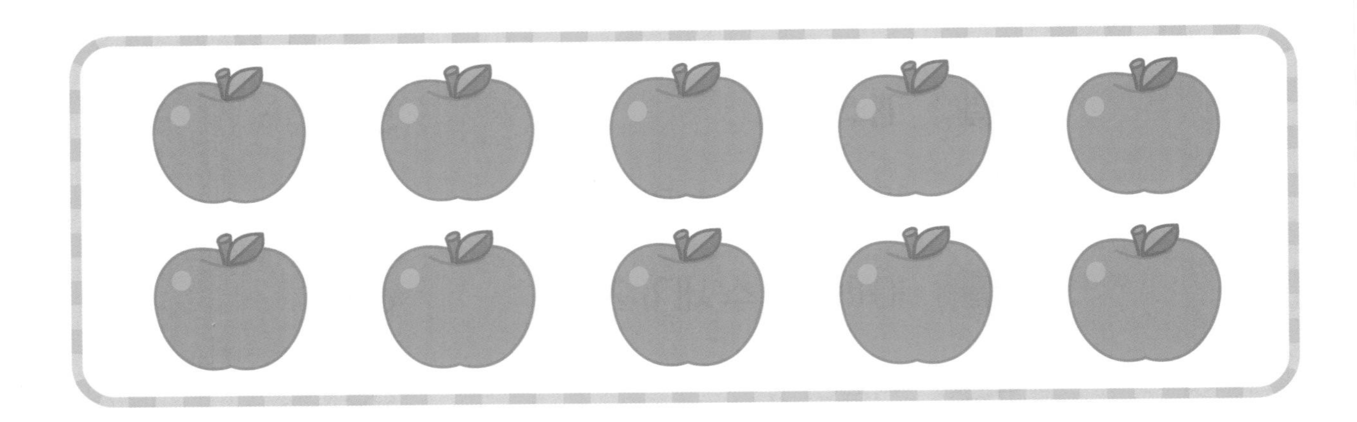

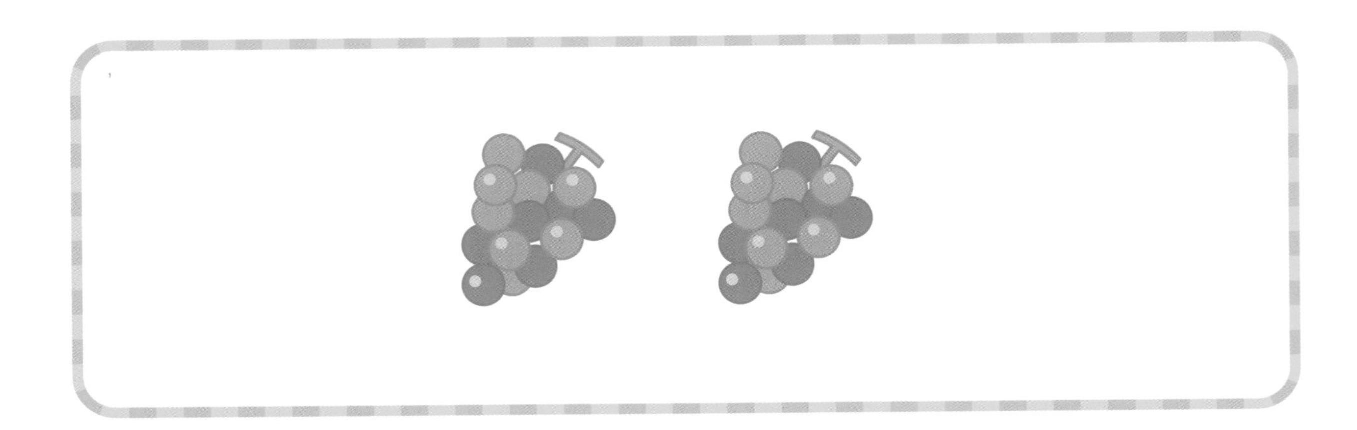

과일의 개수에 맞게 수 붙임 딱지를 차례로 붙여서 세어 보세요.

수 붙임 딱지

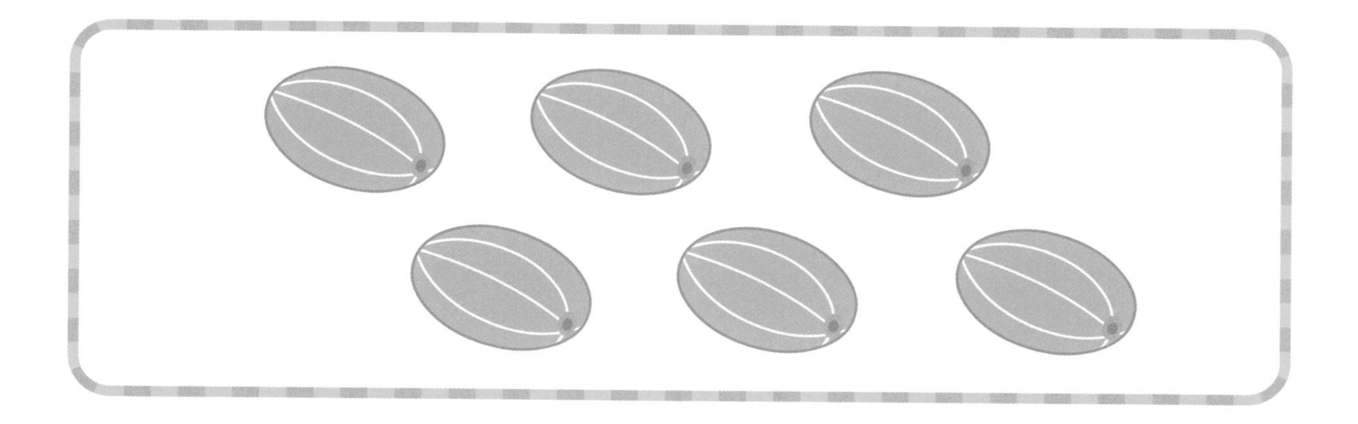

책상 위의 물건에 수 붙임 딱지를 차례로 붙여서 개수를 세어 보세요.

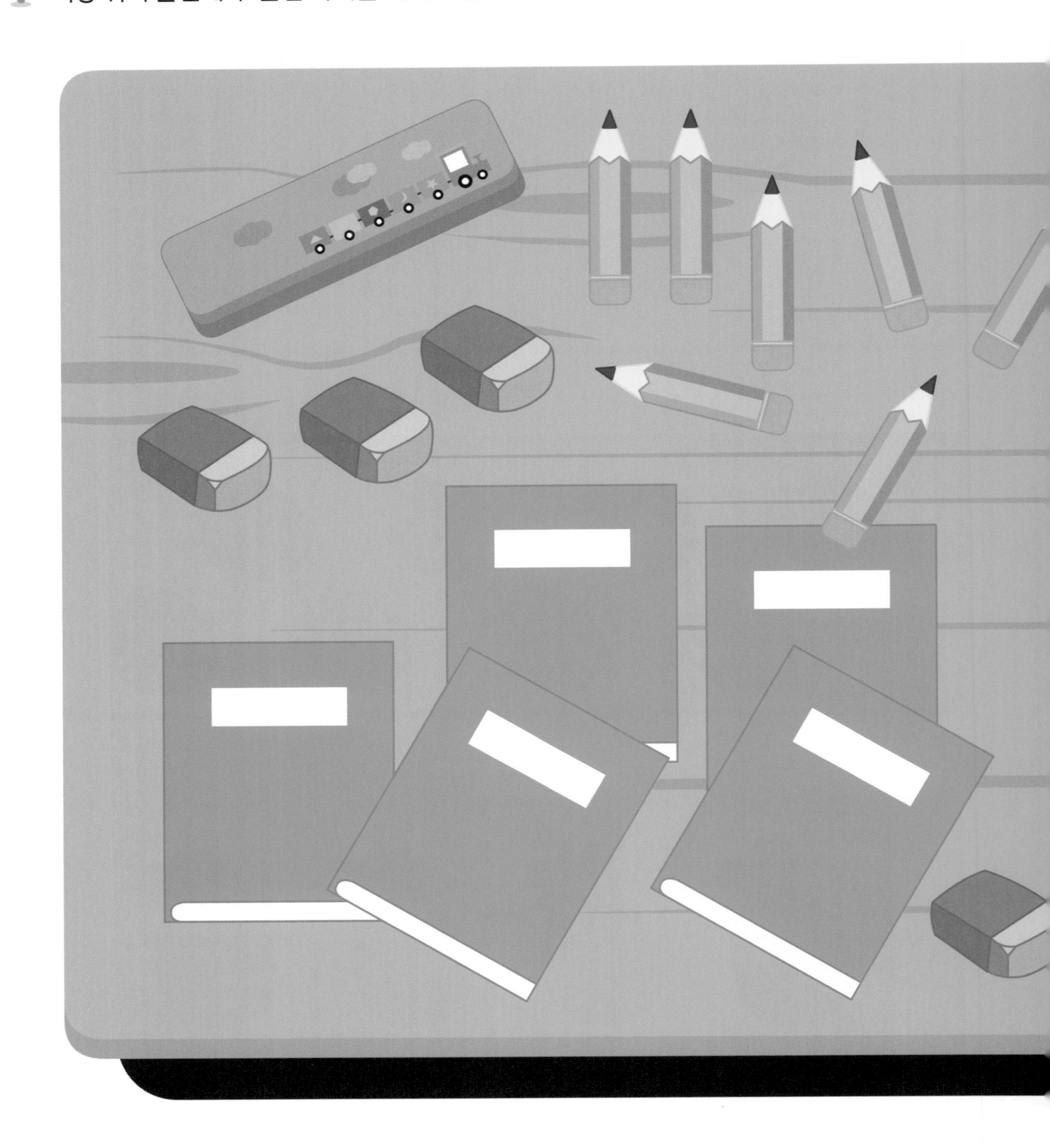

수 붙임 딱지

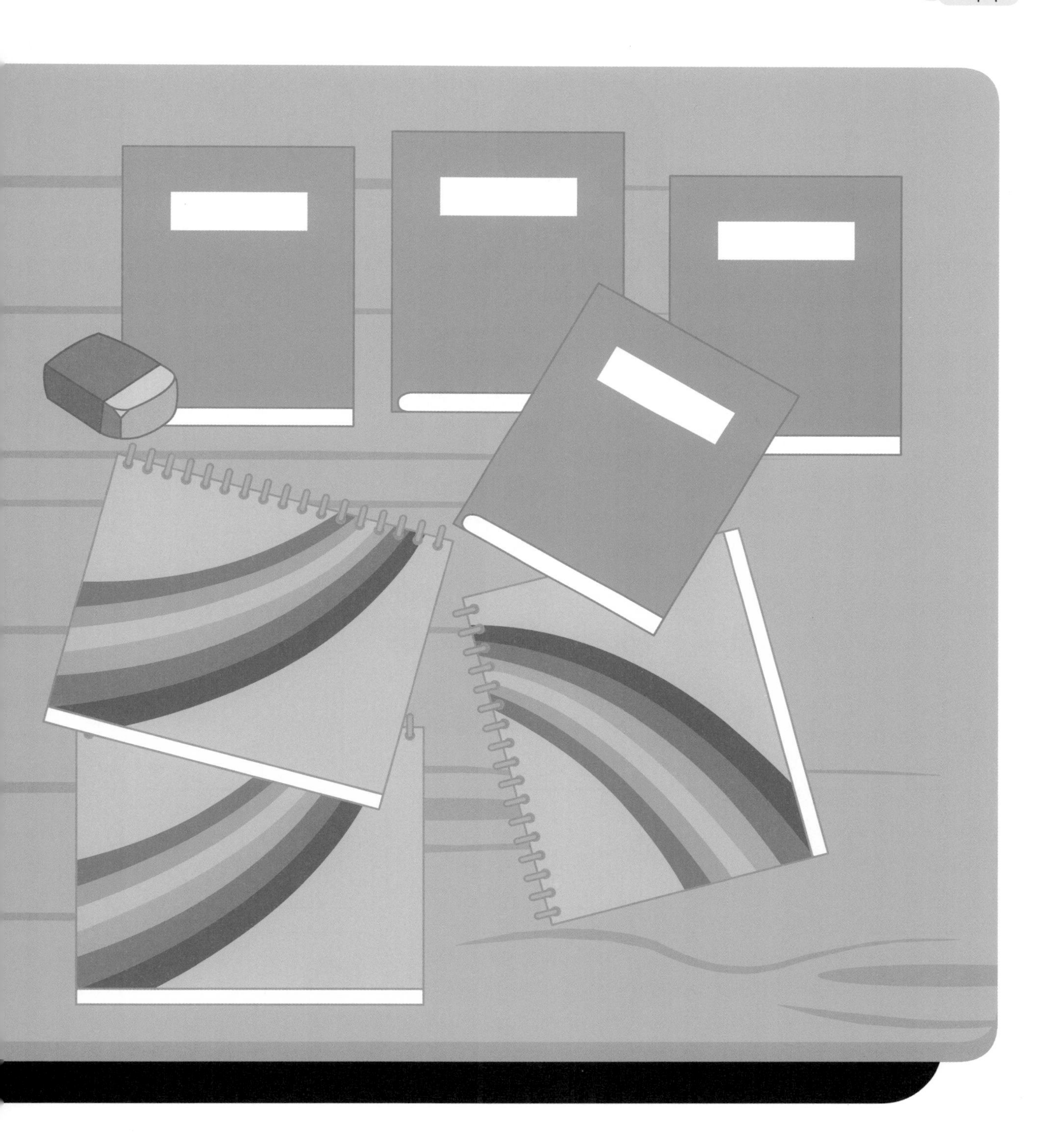

10까지의 수 세기 1

공부한 날~! 월 일

0을 알아보고, 사탕의 개수를 세어 수 붙임 딱지를 붙이세요.

수 붙임 딱지

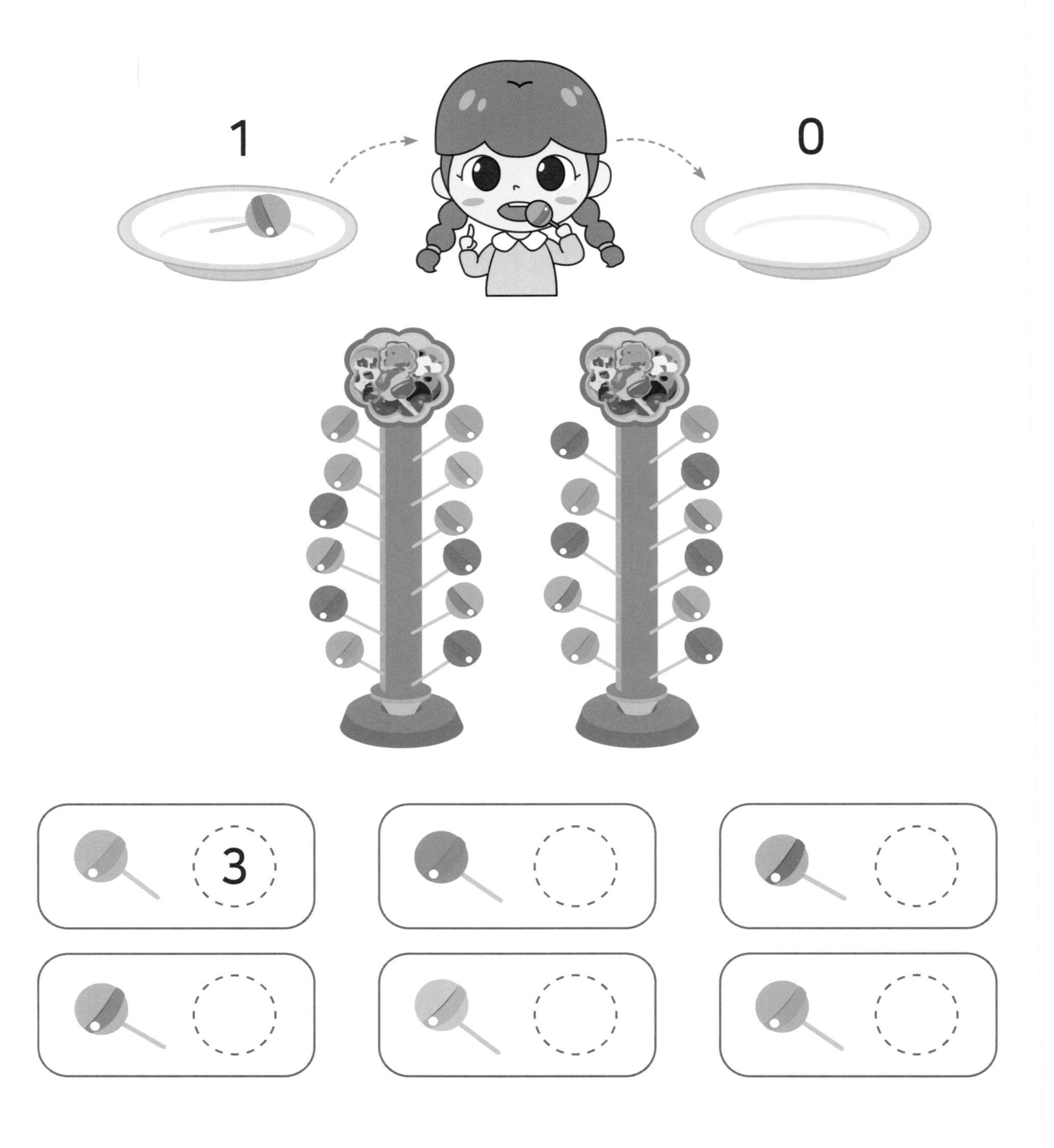

과일의 수를 세어 수 붙임 딱지를 붙이세요.

수 붙임 딱지

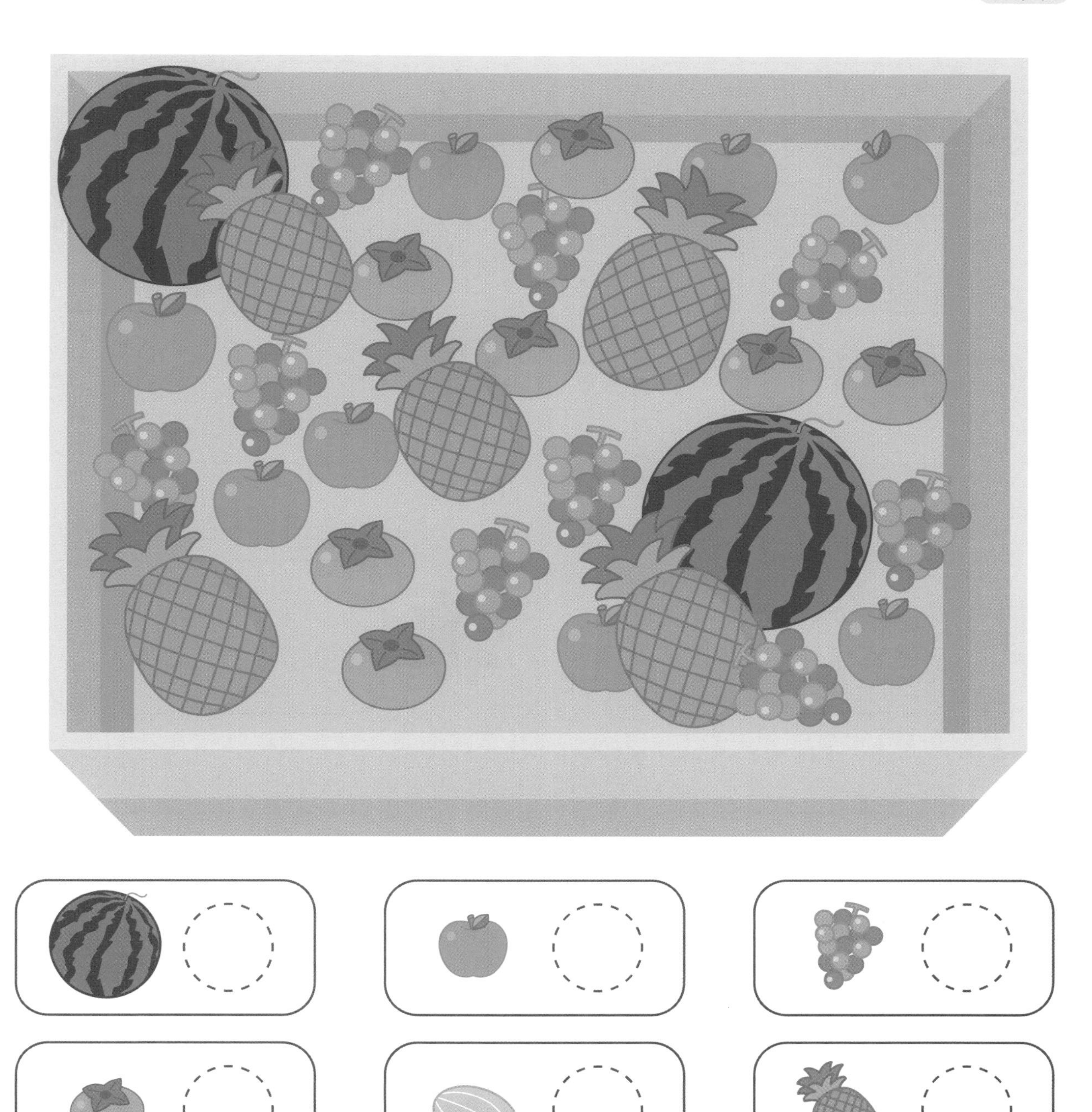

수만큼 ◯에 /를 그리세요.

7
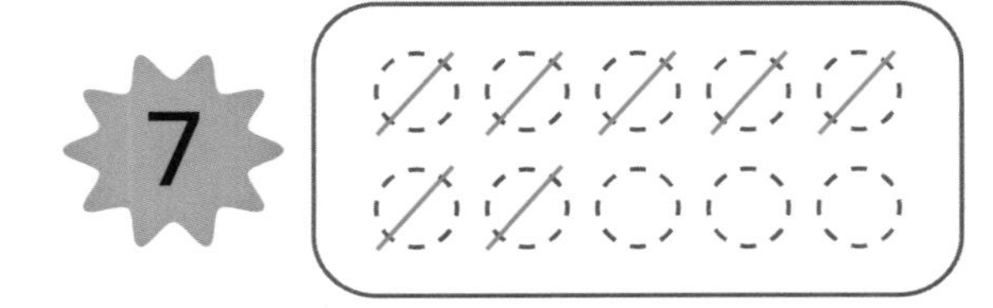

4
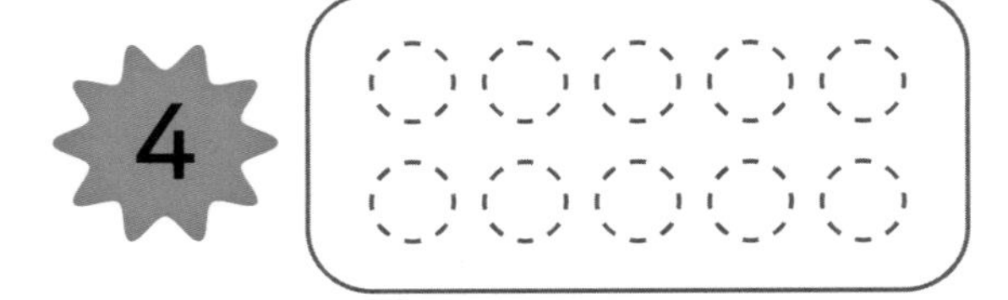

3
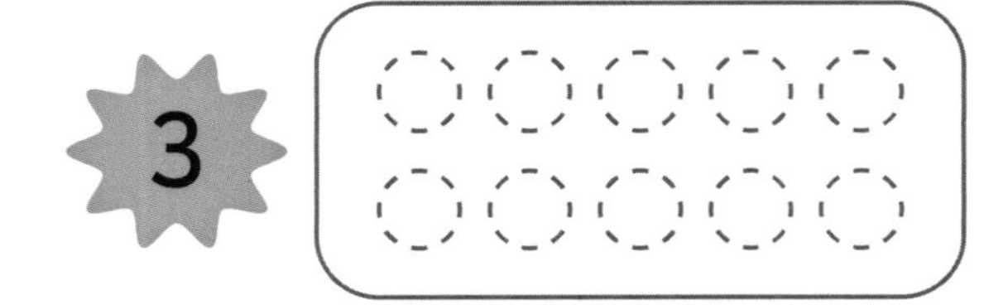

9
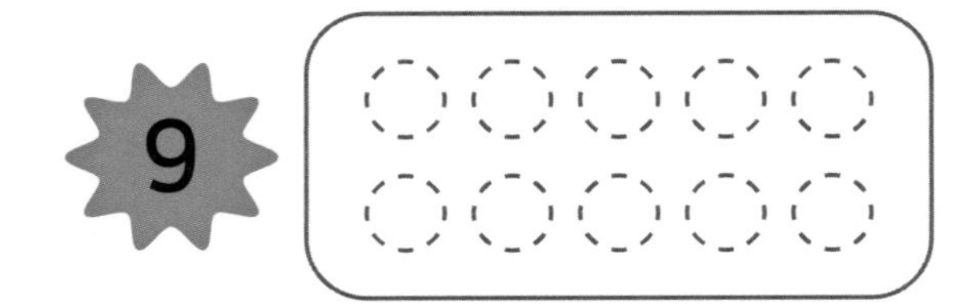

6
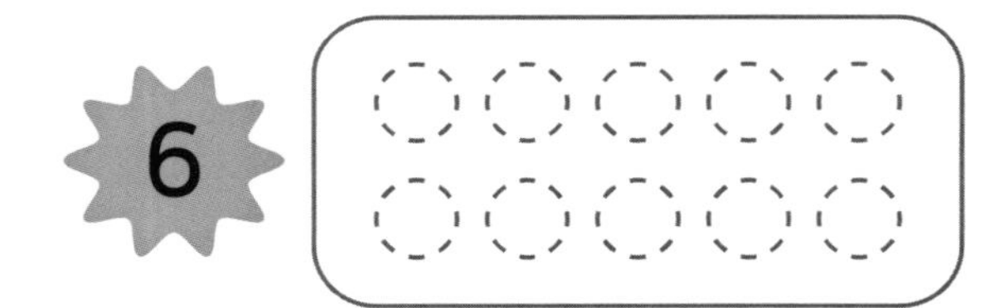

1
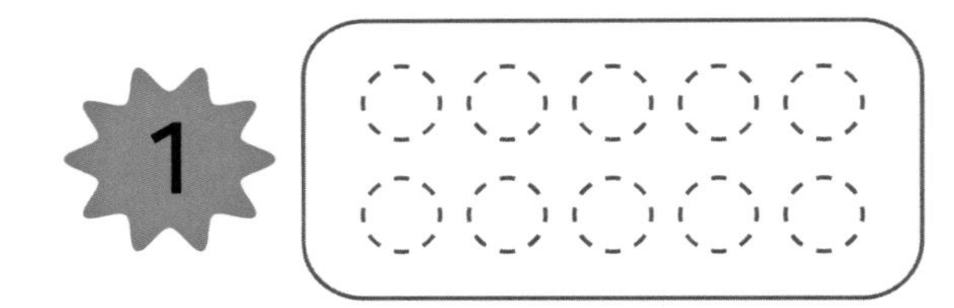

10
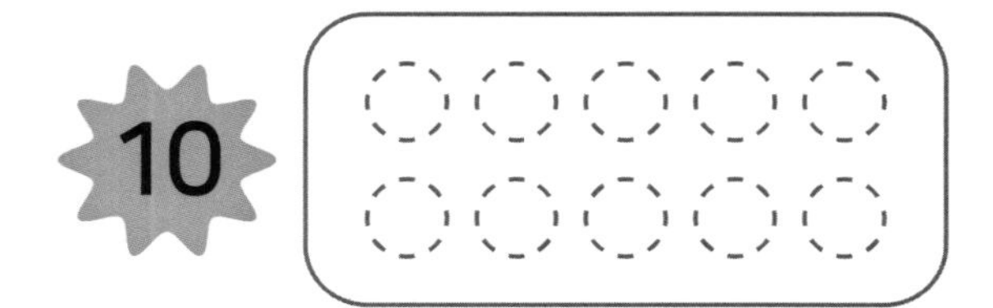

0
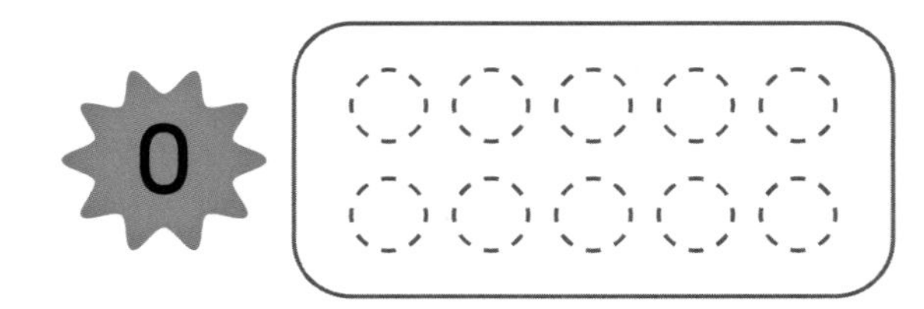

2

5

10까지의 수 세기 2

개수를 세어 수 붙임 딱지를 붙이세요.

수 붙임 딱지

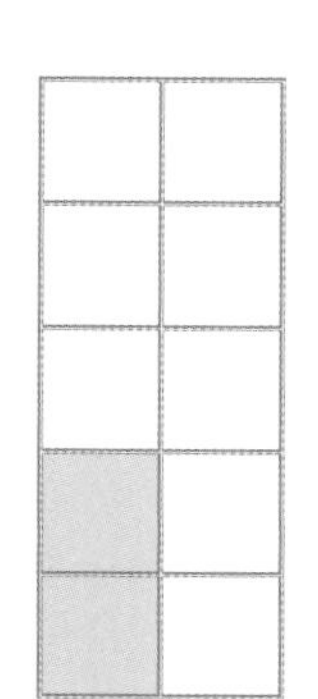
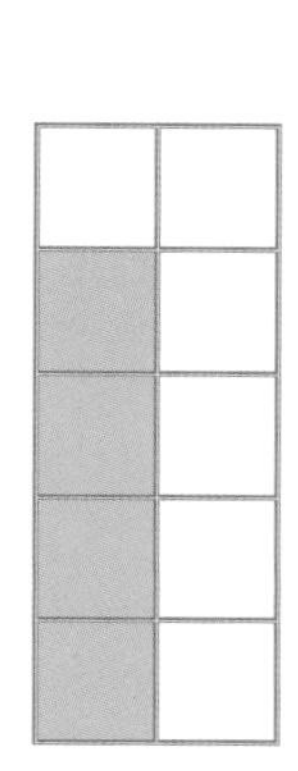
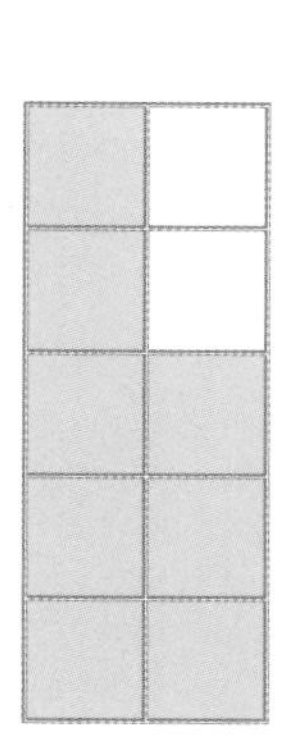
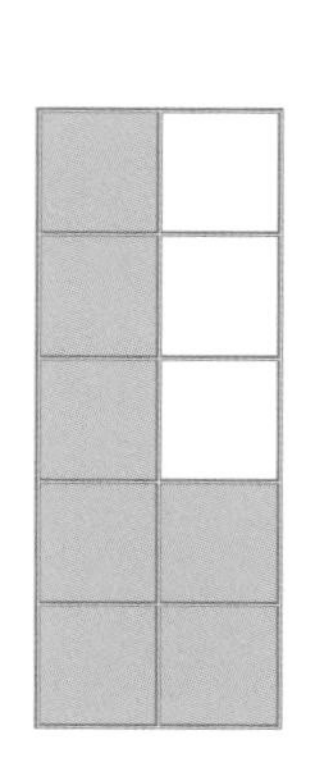
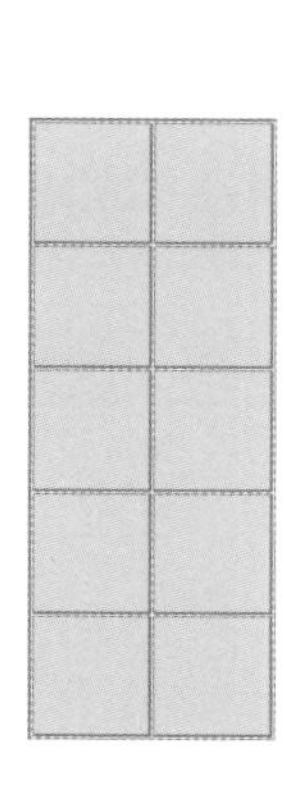

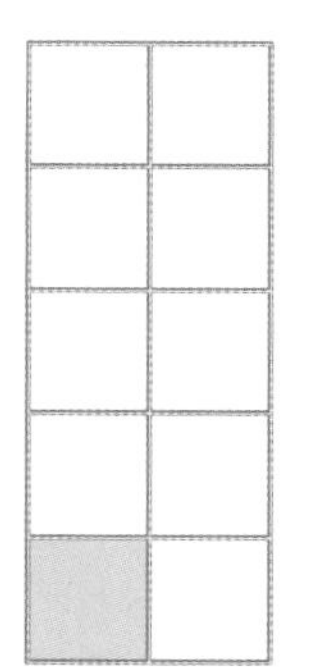
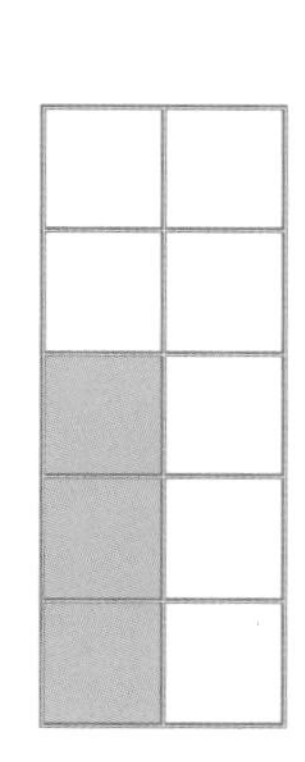
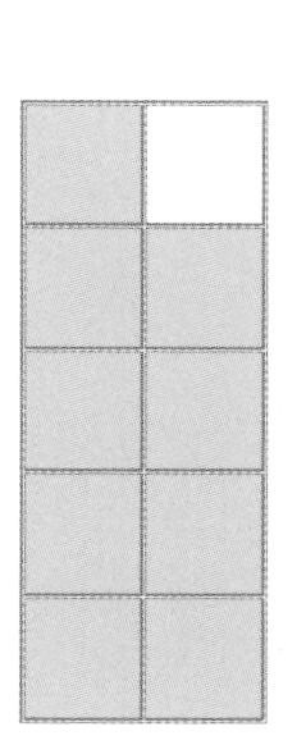
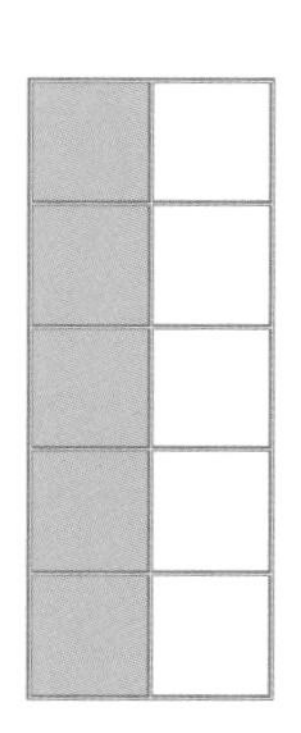
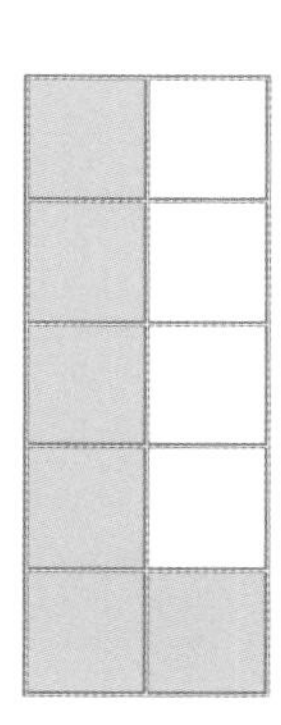

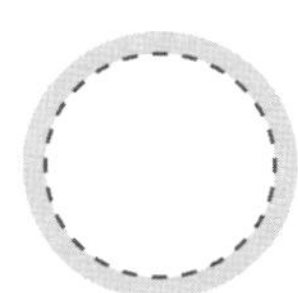

개수를 세어 수 붙임 딱지를 붙이세요.

수 붙임 딱지

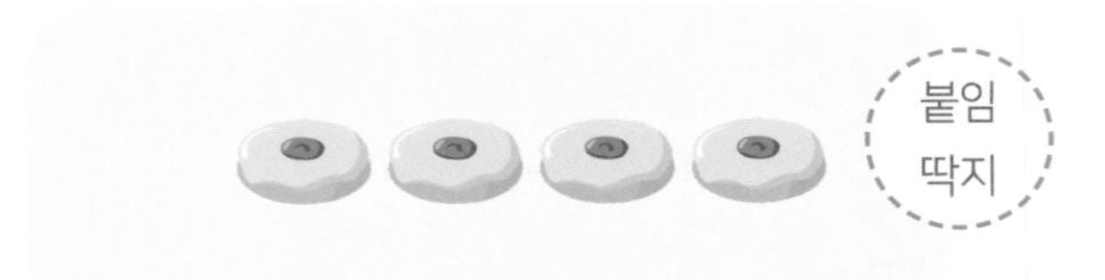

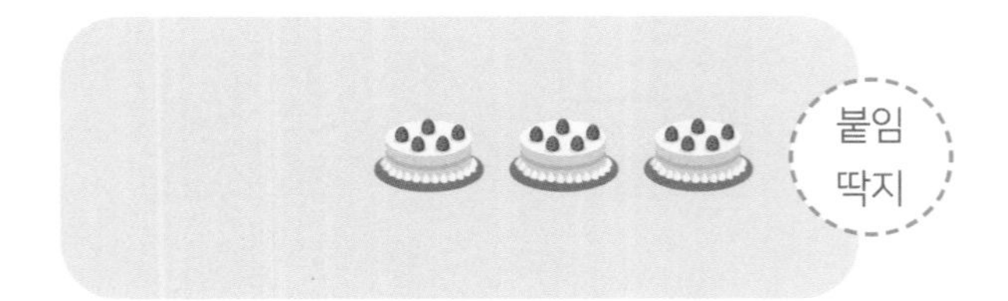

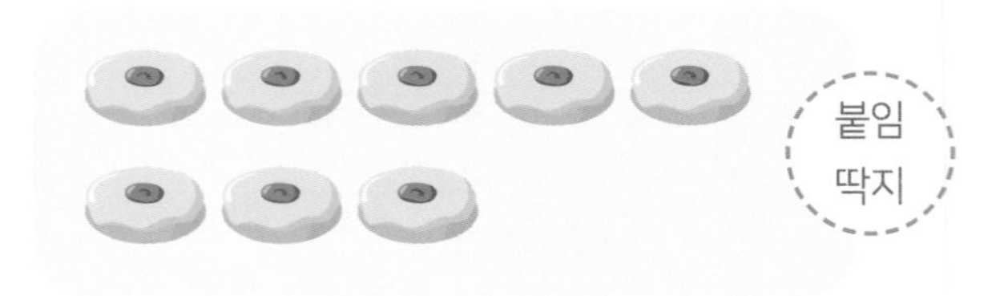

수를 세어 ○표 하세요.

1 2 3 4 5
6 7 8 9 10

1 2 3 4 5
6 7 8 9 10

1 2 3 4 5
6 7 8 9 10

1 2 3 4 5
6 7 8 9 10

1 2 3 4 5
6 7 8 9 10

1 2 3 4 5
6 7 8 9 10

색칠하기

◯의 수에 맞게 색칠하세요.

2								3
4								2
2								3
4								2
2								3

2								3
4								2
3								3
2								4
2								2

○의 수에 맞게 색칠하세요.

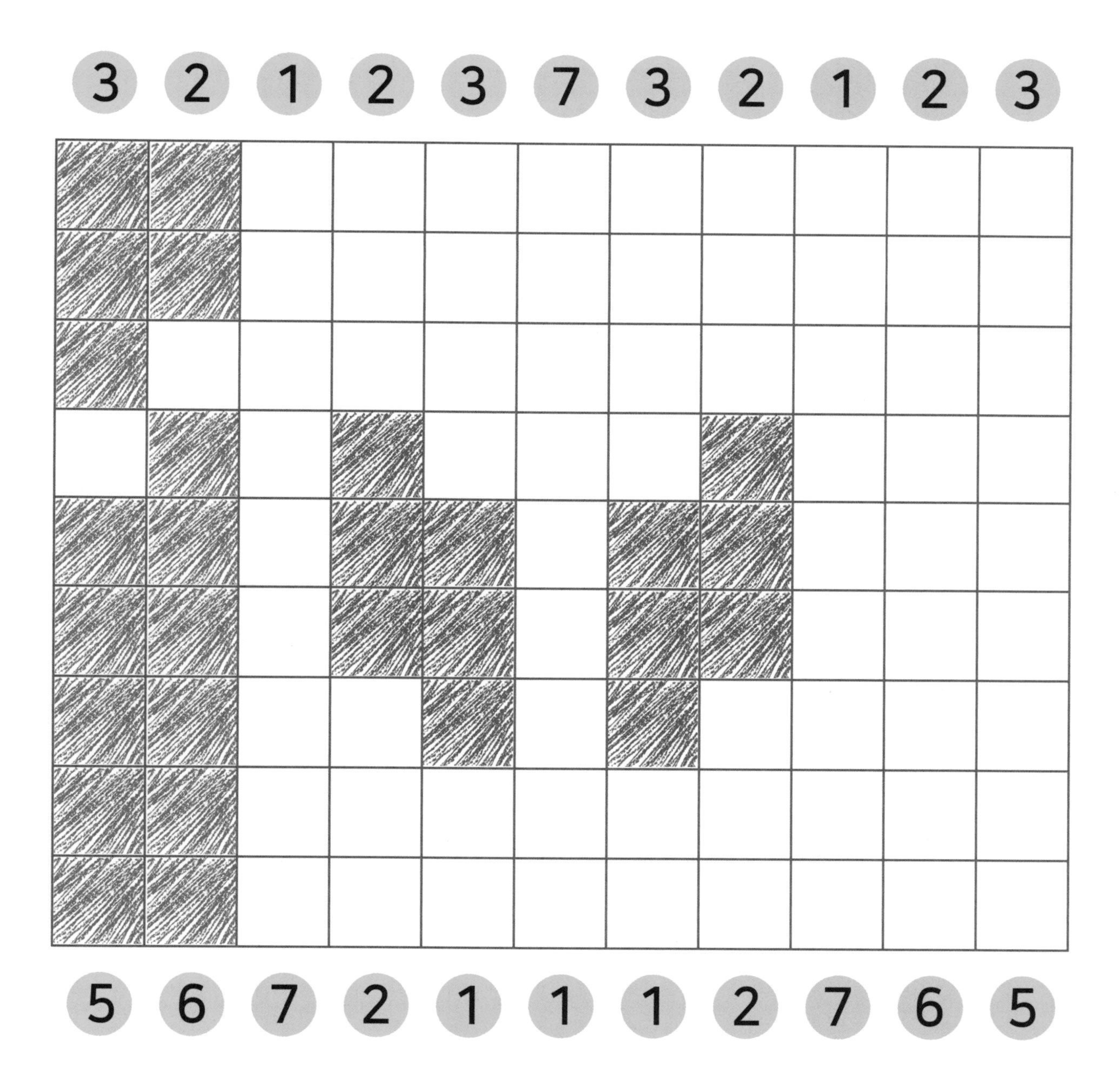

사고력 팡팡 - 거울 보기

월 일

거울에 비친 그림에 ◯표 하세요.

앞모습과 뒷모습을 선으로 이으세요.

옆에 거울을 놓고 봤을 때 거울에 보이는 그림끼리 선으로 이으세요.

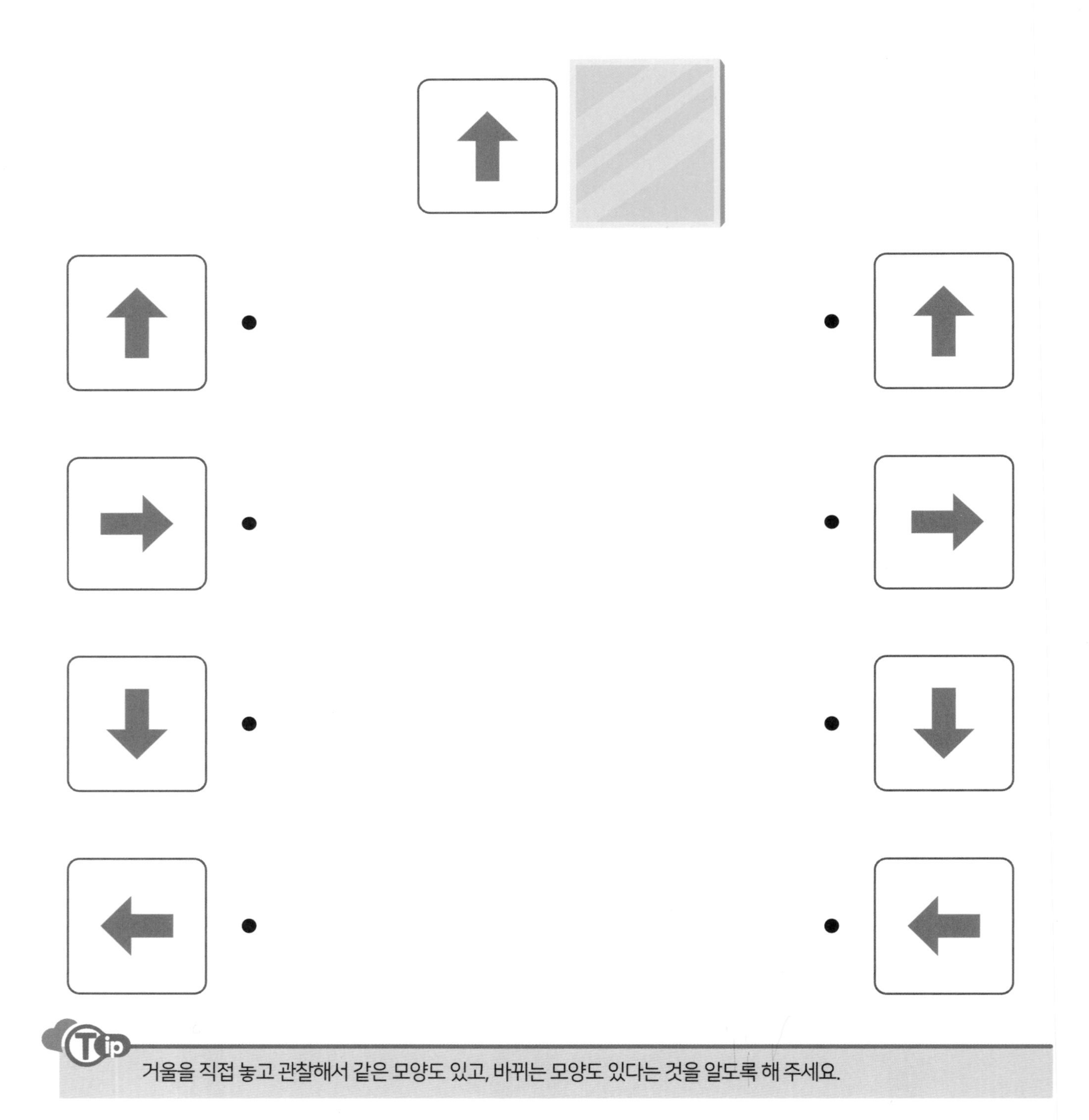

Tip 거울을 직접 놓고 관찰해서 같은 모양도 있고, 바뀌는 모양도 있다는 것을 알도록 해 주세요.

P. 13 ~ 14

P. 22

P. 23

P. 33

자르는 선

P. 35

P. 37

P. 44

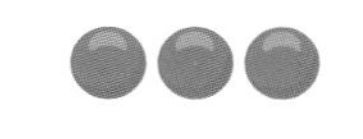 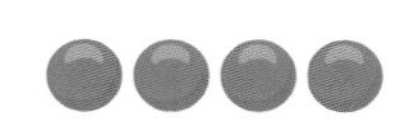 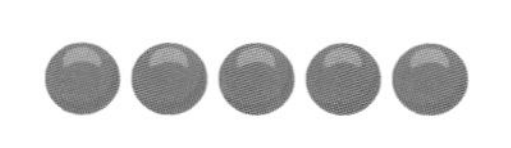 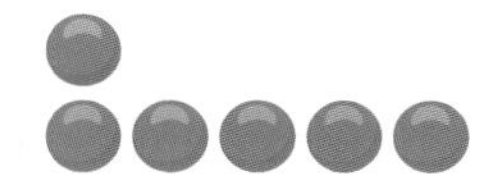 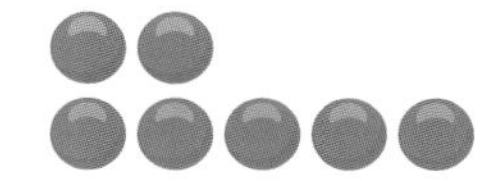

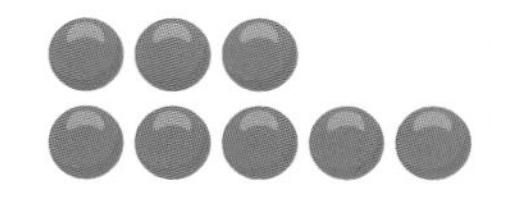 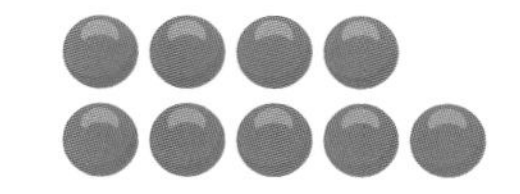 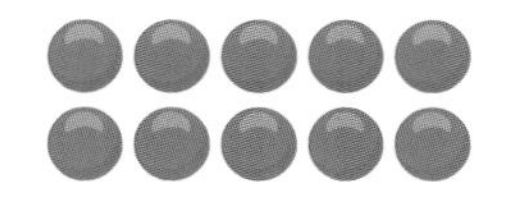  

  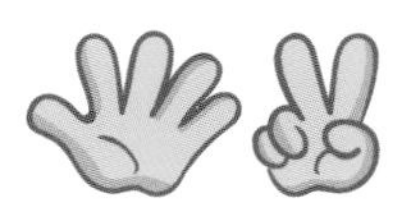 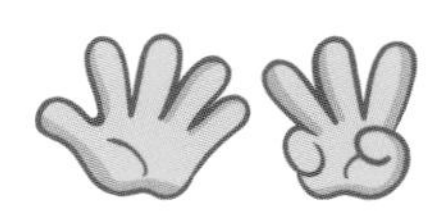 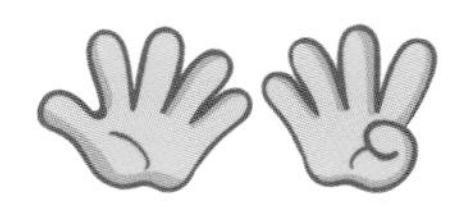

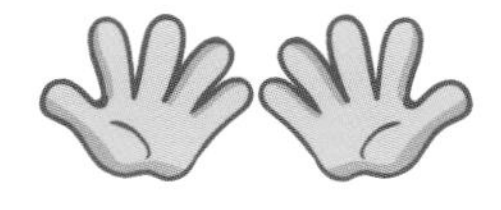    

P. 54

   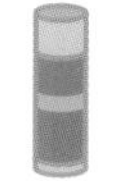  

자르는 선

0	0	0	0	0	1	1	1	1	1
1	1	1	1	1	1	1	1	1	1
1	2	2	2	2	2	2	2	2	2
2	2	2	2	2	2	2	3	3	3
3	3	3	3	3	3	3	3	3	3
3	3	3	3	3	3	4	4	4	4
4	4	4	4	4	4	4	4	4	4
4	4	4	4	5	5	5	5	5	5
5	5	5	5	5	5	5	5	5	5
5	5	6	6	6	6	6	6	6	6

자르는 선

6 6 6 6 6 6 6 6 6 6

6 6 6 6 6 7 7 7 7 7

7 7 7 7 7 7 7 7 7 7

7 7 7 7 7 7 7 7 7 8

8 8 8 8 8 8 8 8 8 8

8 8 8 8 8 8 8 8 8 8

9 9 9 9 9 9 9 9 9 9

9 9 9 9 9 9 9 9 9 9

9 10 10 10 10 10 10 10 10 10

10 10 10 10 10 10 10 10 10 10

자르는 선

이름 점수

총괄 테스트

01 수만큼 ○를 색칠하세요.

6

① ② ③ ④ ⑤
⑥ ⑦ ⑧ ⑨ ⑩

8

① ② ③ ④ ⑤
⑥ ⑦ ⑧ ⑨ ⑩

02 수와 그림을 알맞게 선으로 이으세요.

6 7 8 9 10

05 자른 색종이의 일부를 찾아 ○표 하세요.

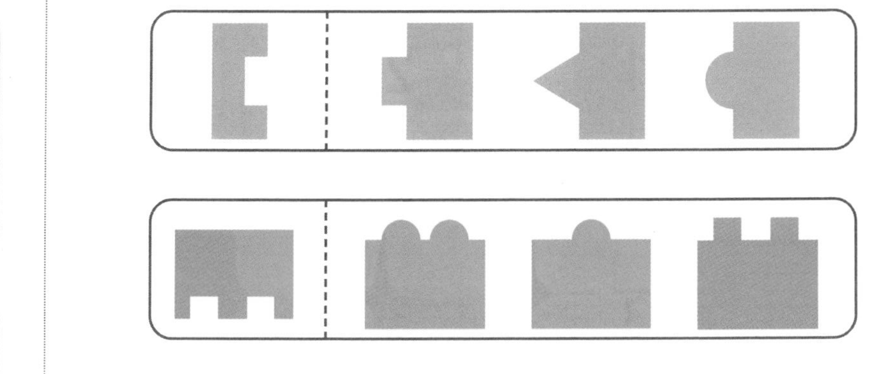

06 수만큼 그림에 ○표 하세요.

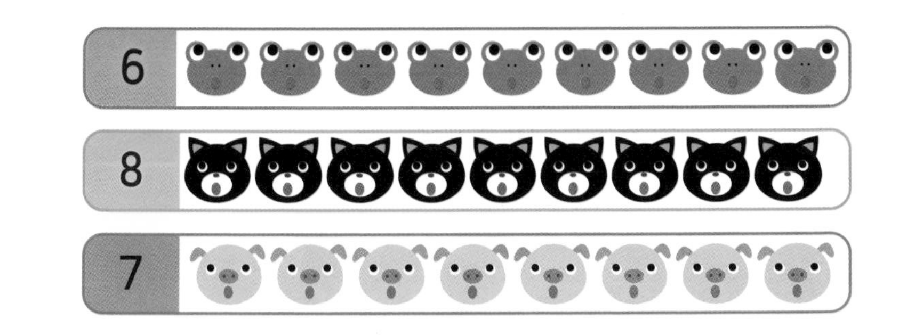

07 그림에 알맞은 그림자에 ○표 하세요.

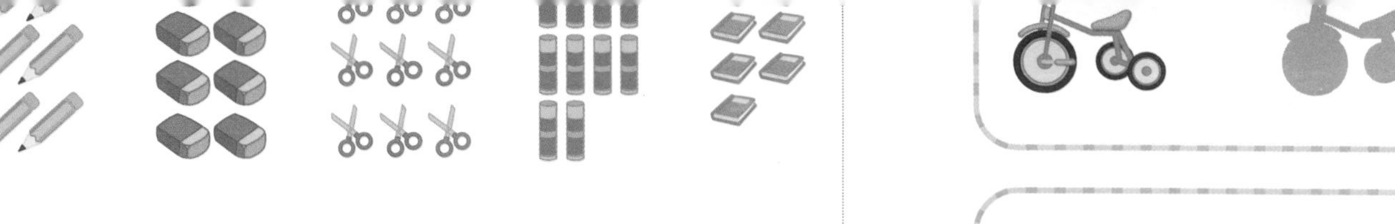

03 토끼의 수를 세어 알맞은 수에 ○표 하세요.

6	7	8	9	10

04 다람쥐 옆의 수는 다람쥐가 먹은 도토리의 개수를 나타냅니다. 다람쥐가 먹은 도토리의 수만큼 도토리에 X표 하세요.

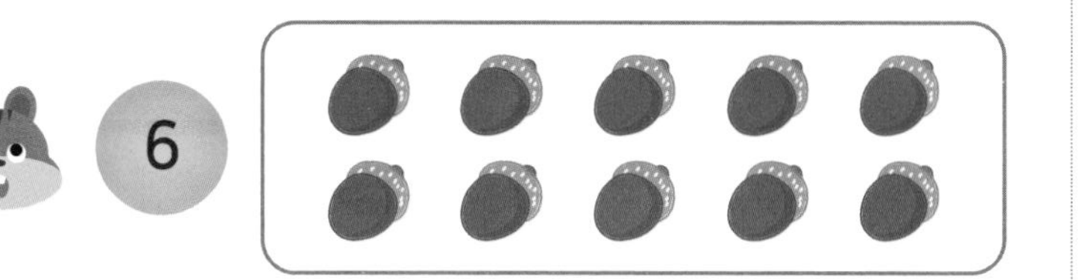

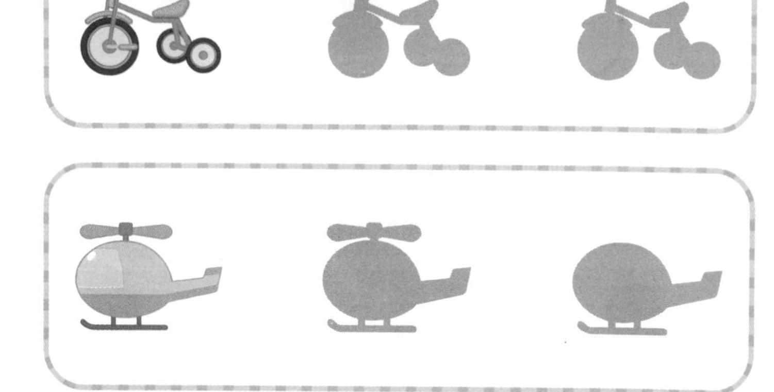

08 같은 수를 선으로 이으세요.

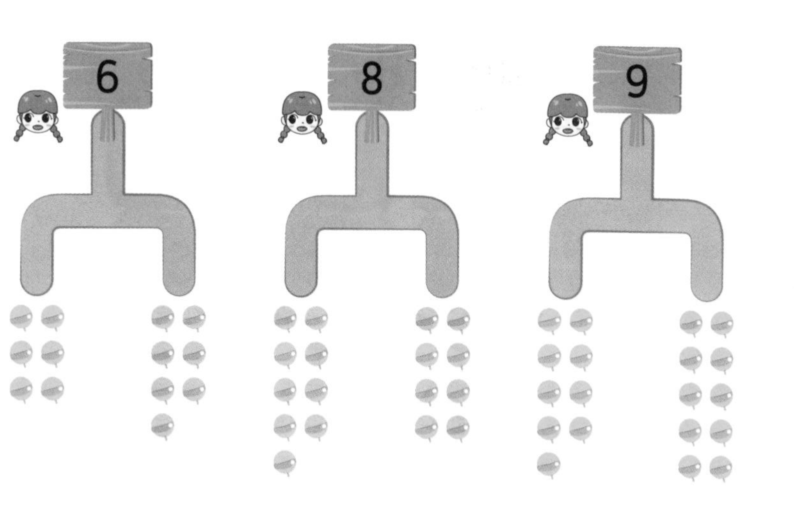

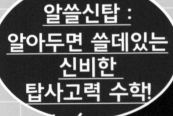

하루 10분

단계별 유아 원리 연산

KIDS 키즈 수학 전문가가 만든 연산 교재

원리셈

천종현 지음

정답

5·6세 | 2권 | 10까지의 수

천종현수학연구소

총괄 테스트 정답

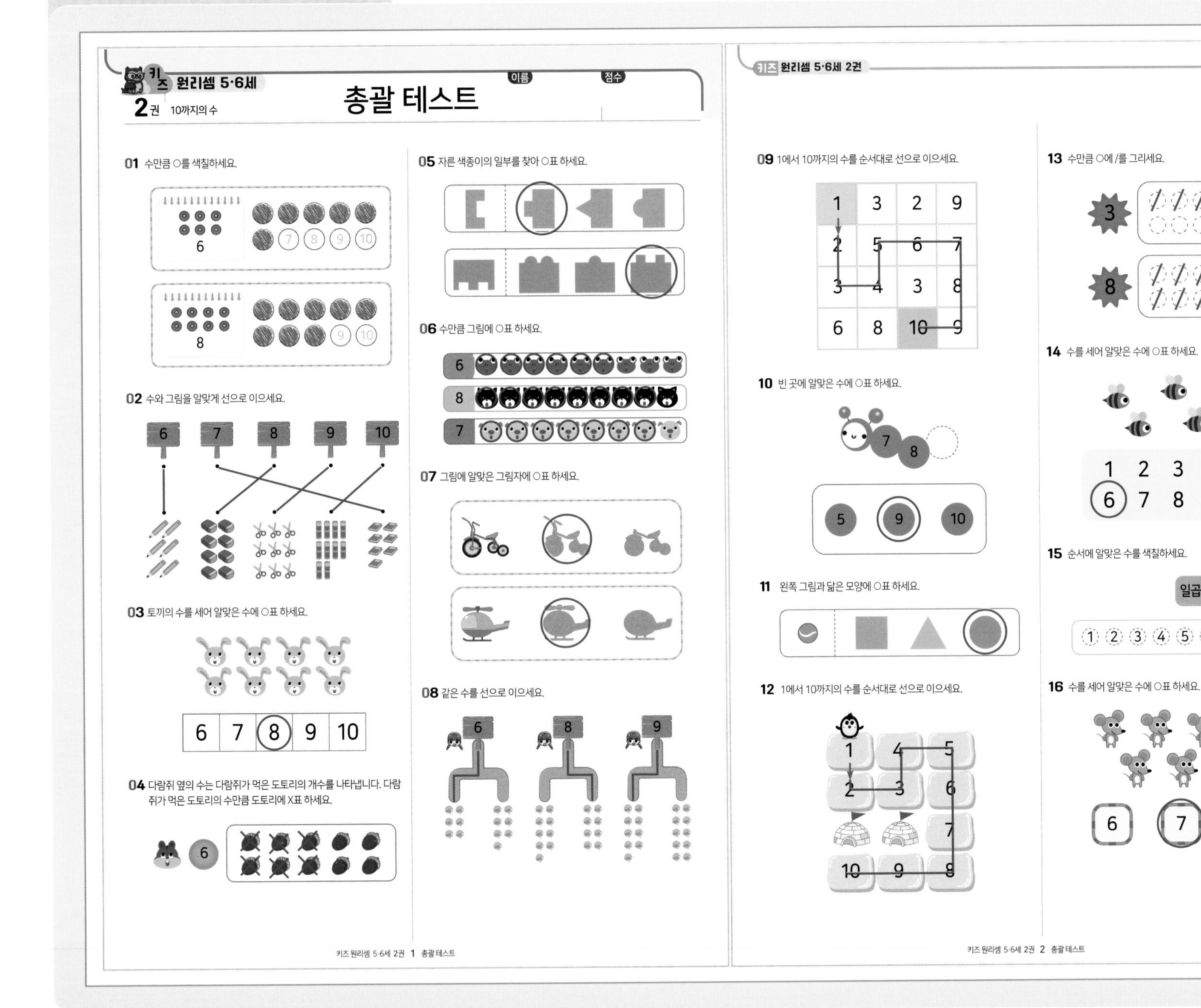

키즈 원리셈 5·6세
2권 10까지의 수
총괄 테스트
이름
점수
01 수만큼 ○를 색칠하세요.
6
8
02 수와 그림을 알맞게 선으로 이으세요.
6 7 8 9 10
03 토끼의 수를 세어 알맞은 수에 ○표 하세요.
6 7 8 9 10
04 다람쥐 옆의 수는 다람쥐가 먹은 도토리의 개수를 나타냅니다. 다람쥐가 먹은 도토리의 수만큼 도토리에 X표 하세요.
6
05 자른 색종이의 일부를 찾아 ○표 하세요.
06 수만큼 그림에 ○표 하세요.
6
8
7
07 그림에 알맞은 그림자에 ○표 하세요.
08 같은 수를 선으로 이으세요.
6 8 9
키즈 원리셈 5·6세 2권 1 총괄 테스트
키즈 원리셈 5·6세 2권
총괄 테스트
09 1에서 10까지의 수를 순서대로 선으로 이으세요.
1 3 2 9
2 5 6 7
3 4 3 8
6 8 10 9
10 빈 곳에 알맞은 수에 ○표 하세요.
7 8
5 9 10
11 왼쪽 그림과 닮은 모양에 ○표 하세요.
12 1에서 10까지의 수를 순서대로 선으로 이으세요.
1 4 5
2 3 6
7
10 9 8
13 수만큼 ○에 /를 그리세요.
3
8
14 수를 세어 알맞은 수에 ○표 하세요.
1 2 3 4 5
6 7 8 9 10
15 순서에 알맞은 수를 색칠하세요.
일곱째
1 2 3 4 5 6 8 9 10
16 수를 세어 알맞은 수에 ○표 하세요.
6 7 8
키즈 원리셈 5·6세 2권 2 총괄 테스트

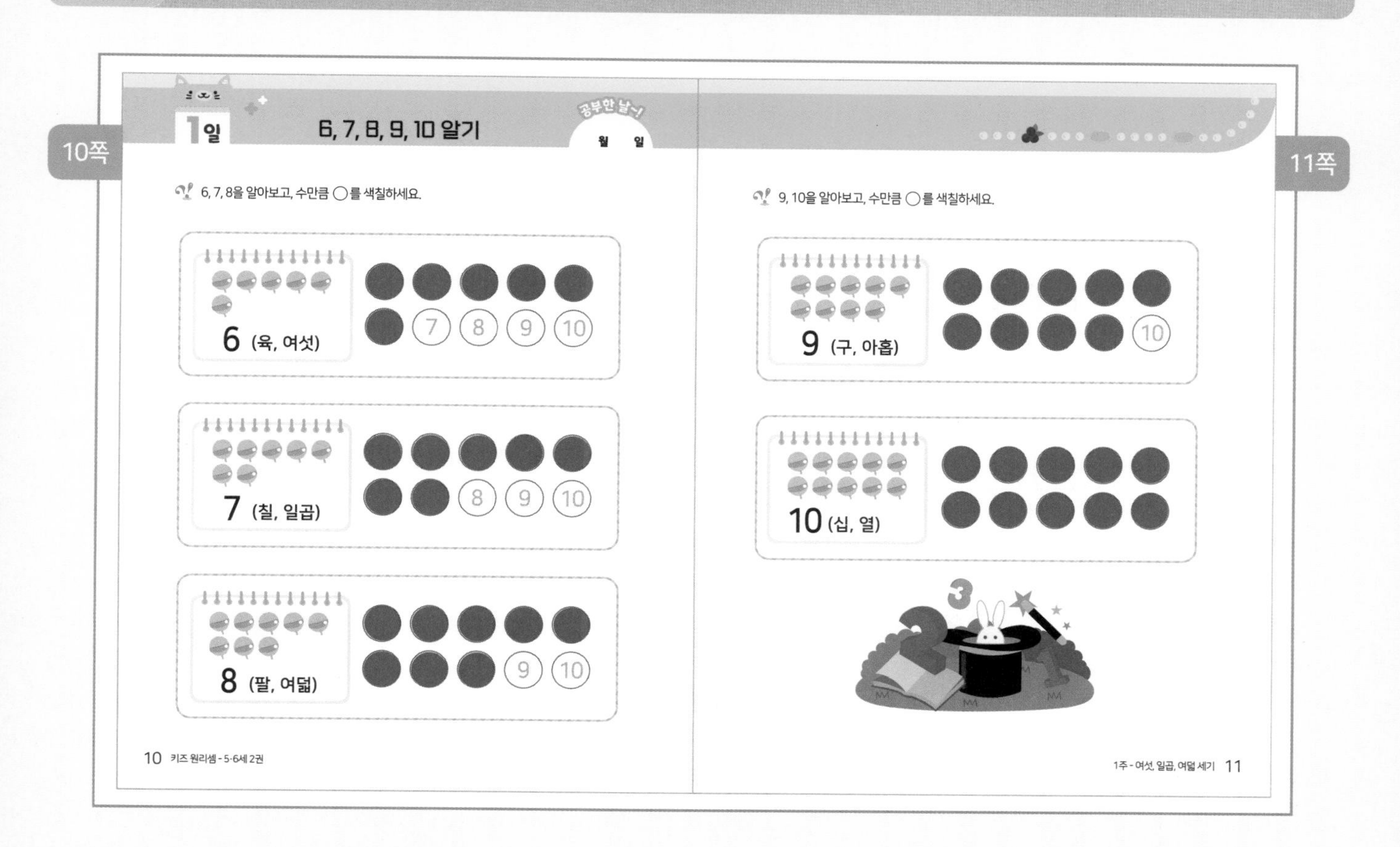

10쪽

1일 6, 7, 8, 9, 10 알기

공부한 날~! 월 일

6, 7, 8을 알아보고, 수만큼 ○를 색칠하세요.

6 (육, 여섯) 7 8 9 10

7 (칠, 일곱) 8 9 10

8 (팔, 여덟) 9 10

10 키즈 원리셈 - 5·6세 2권

11쪽

9, 10을 알아보고, 수만큼 ○를 색칠하세요.

9 (구, 아홉) 10

10 (십, 열)

1주 - 여섯, 일곱, 여덟 세기 11

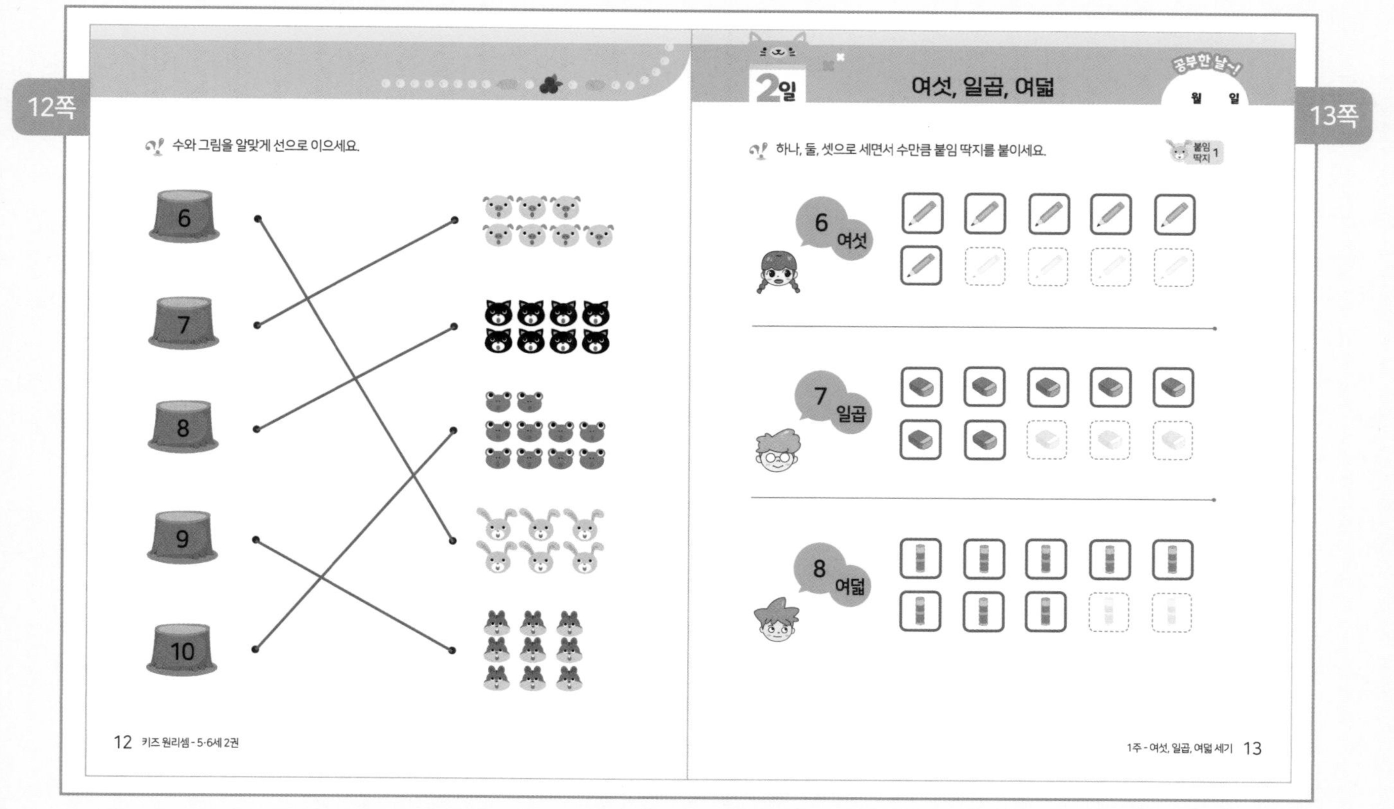

12쪽

수와 그림을 알맞게 선으로 이으세요.

6 7 8 9 10

12 키즈 원리셈 - 5·6세 2권

13쪽

2일 여섯, 일곱, 여덟

공부한 날~! 월 일

하나, 둘, 셋으로 세면서 수만큼 붙임 딱지를 붙이세요.

붙임 딱지 1

6 여섯

7 일곱

8 여덟

1주 - 여섯, 일곱, 여덟 세기 13

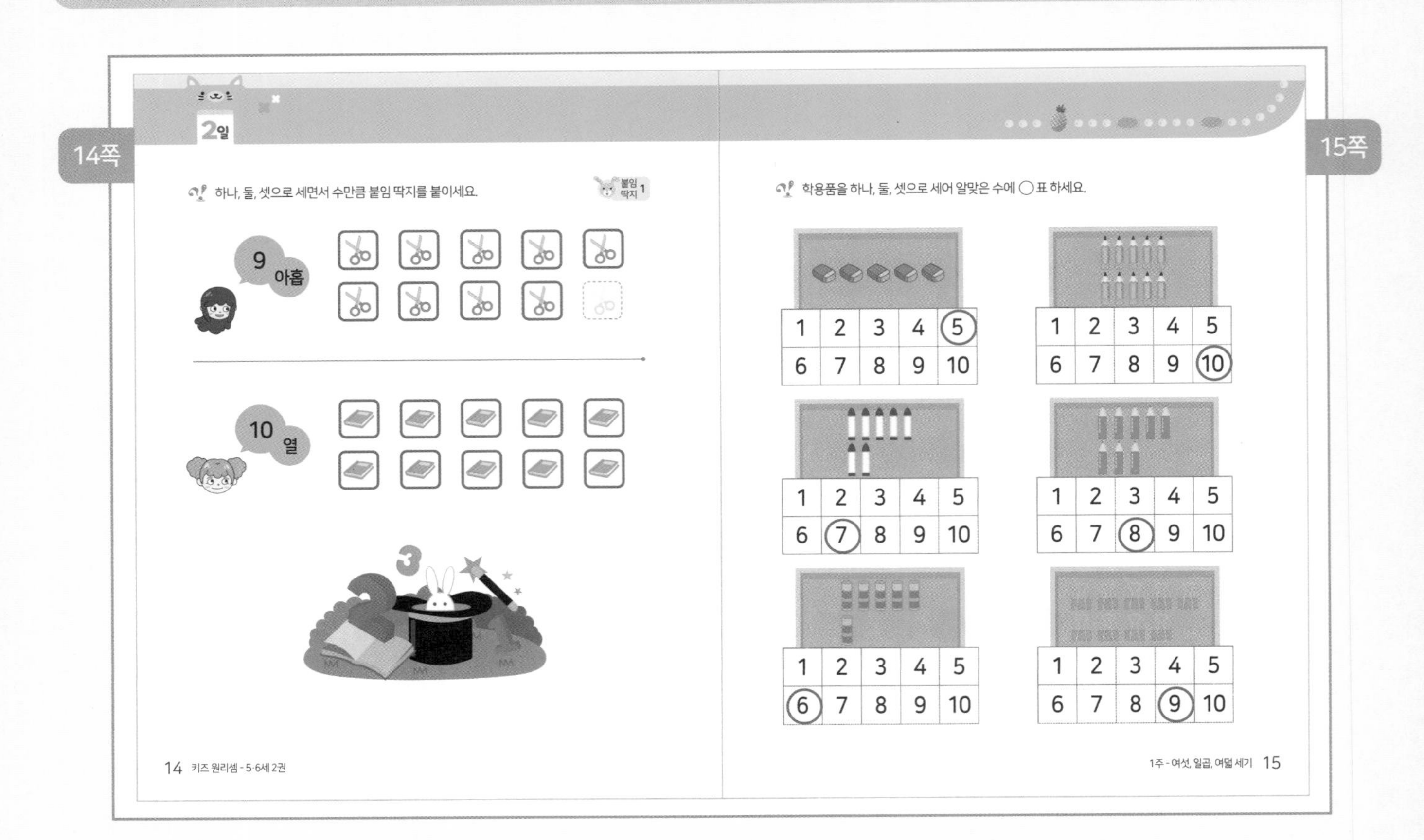
14쪽
2일
하나, 둘, 셋으로 세면서 수만큼 붙임 딱지를 붙이세요.
붙임 딱지 1
9
아홉
10
열
14 키즈 원리셈 - 5·6세 2권
15쪽
학용품을 하나, 둘, 셋으로 세어 알맞은 수에 ◯표 하세요.
1 2 3 4 5
6 7 8 9 10
1주 - 여섯, 일곱, 여덟 세기 15

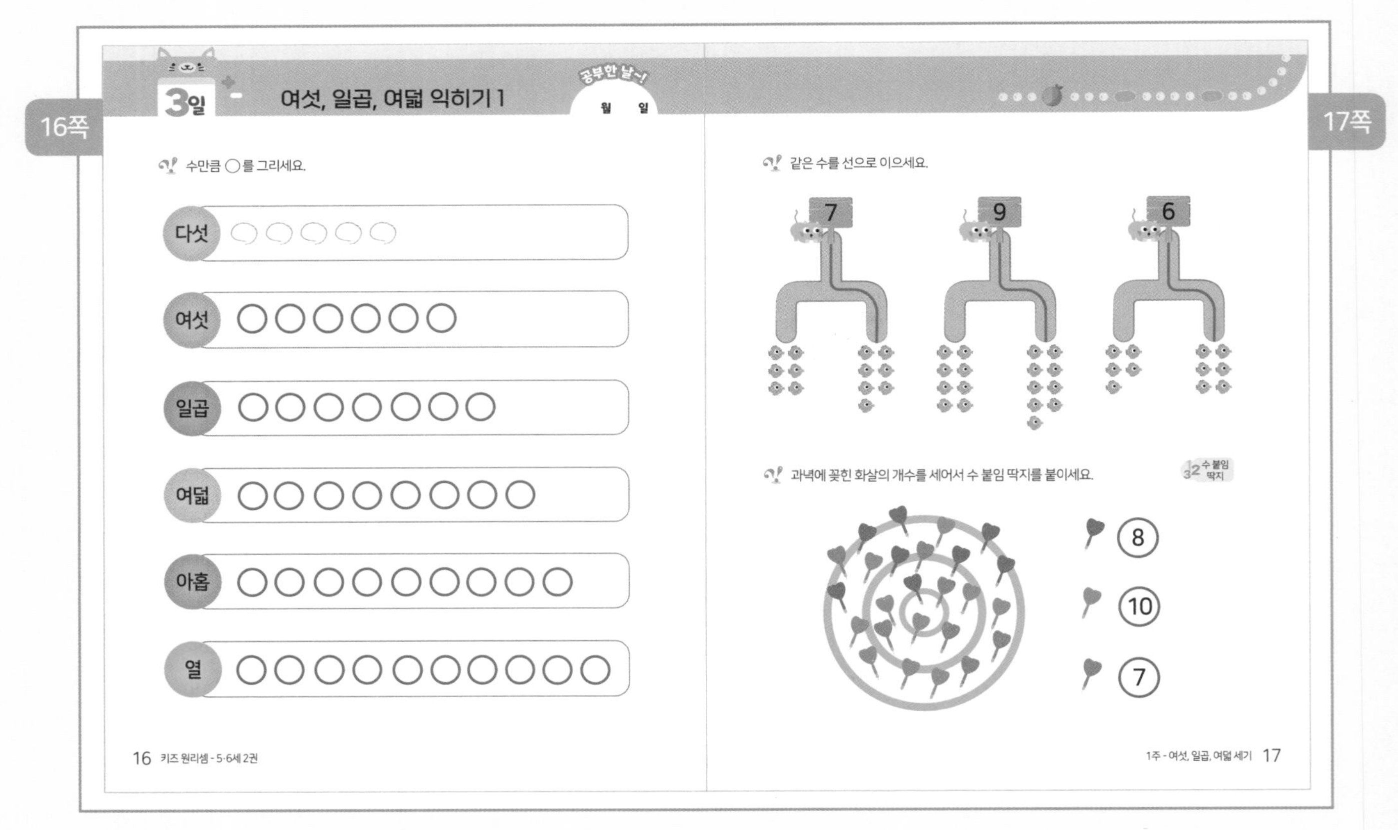
16쪽
3일
여섯, 일곱, 여덟 익히기 1
공부한 날~!
월 일
수만큼 ◯를 그리세요.
다섯
여섯
일곱
여덟
아홉
열
16 키즈 원리셈 - 5·6세 2권
17쪽
같은 수를 선으로 이으세요.
7
9
6
과녁에 꽂힌 화살의 개수를 세어서 수 붙임 딱지를 붙이세요.
수 붙임 딱지
8
10
7
1주 - 여섯, 일곱, 여덟 세기 17

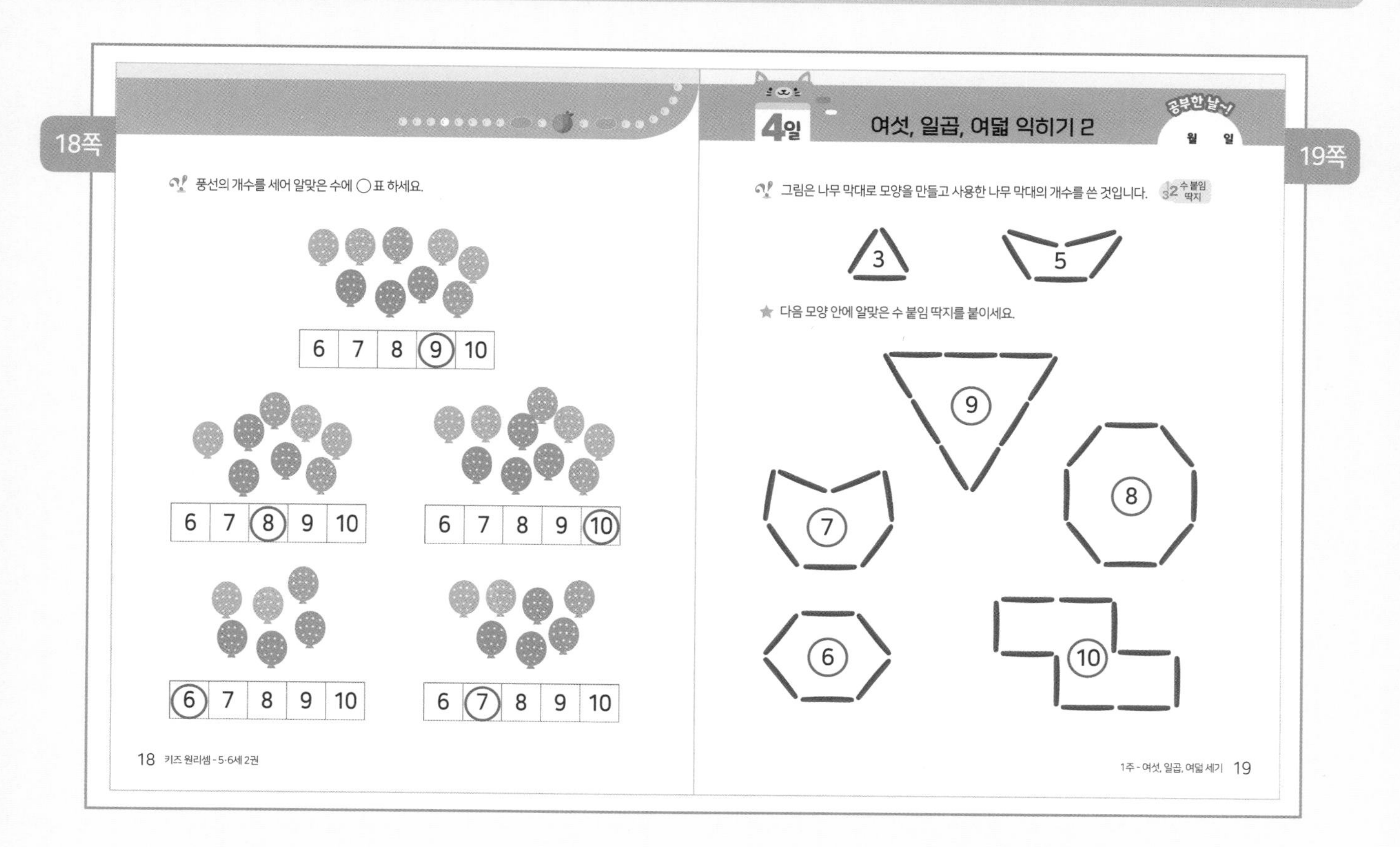
18쪽
풍선의 개수를 세어 알맞은 수에 ○표 하세요.
6 7 8 9 10
18 키즈 원리셈 - 5·6세 2권
4일
여섯, 일곱, 여덟 익히기 2
공부한 날~!
월 일
19쪽
그림은 나무 막대로 모양을 만들고 사용한 나무 막대의 개수를 쓴 것입니다.
수 붙임 딱지
3
5
다음 모양 안에 알맞은 수 붙임 딱지를 붙이세요.
9
7
8
6
10
1주 - 여섯, 일곱, 여덟 세기 19

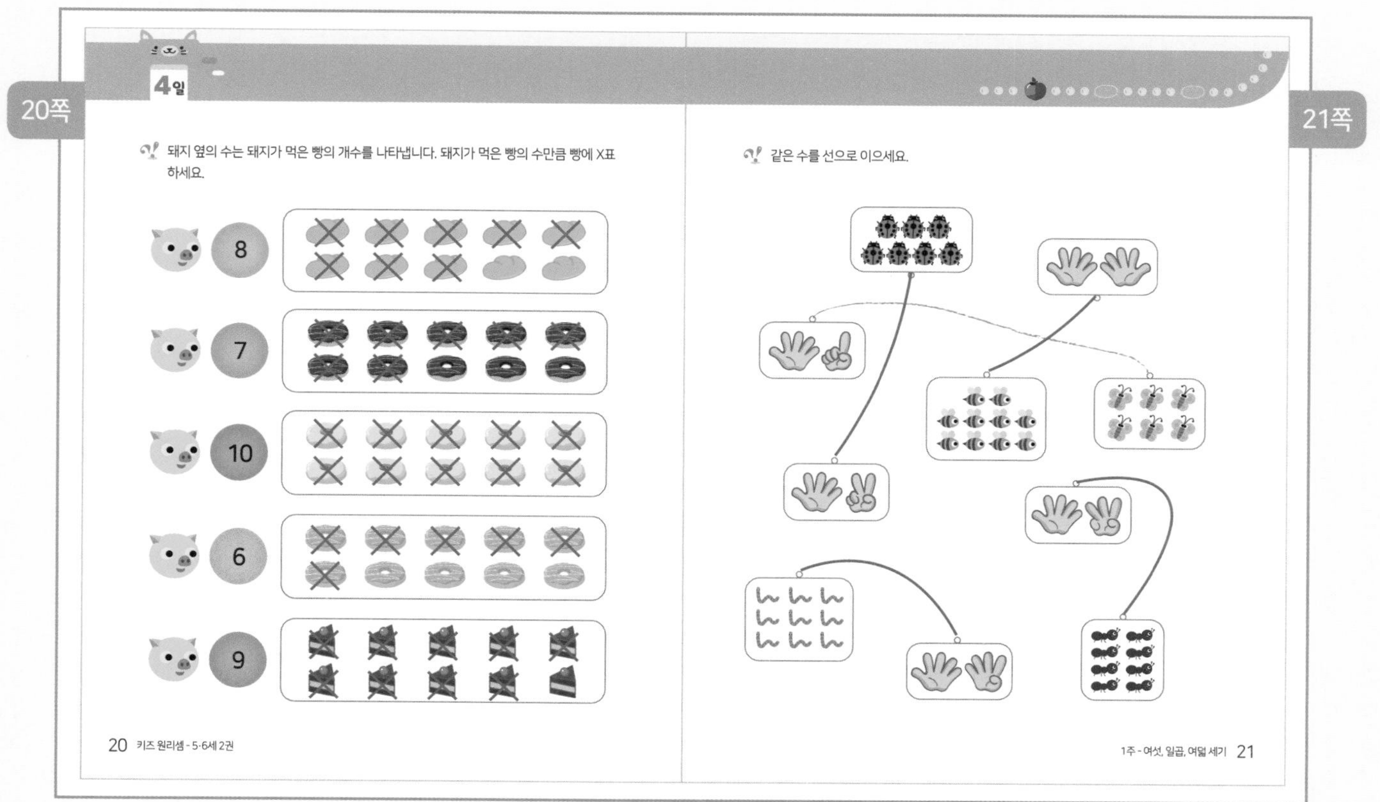
4일
20쪽
돼지 옆의 수는 돼지가 먹은 빵의 개수를 나타냅니다. 돼지가 먹은 빵의 수만큼 빵에 X표 하세요.
8
7
10
6
9
20 키즈 원리셈 - 5·6세 2권
21쪽
같은 수를 선으로 이으세요.
1주 - 여섯, 일곱, 여덟 세기 21

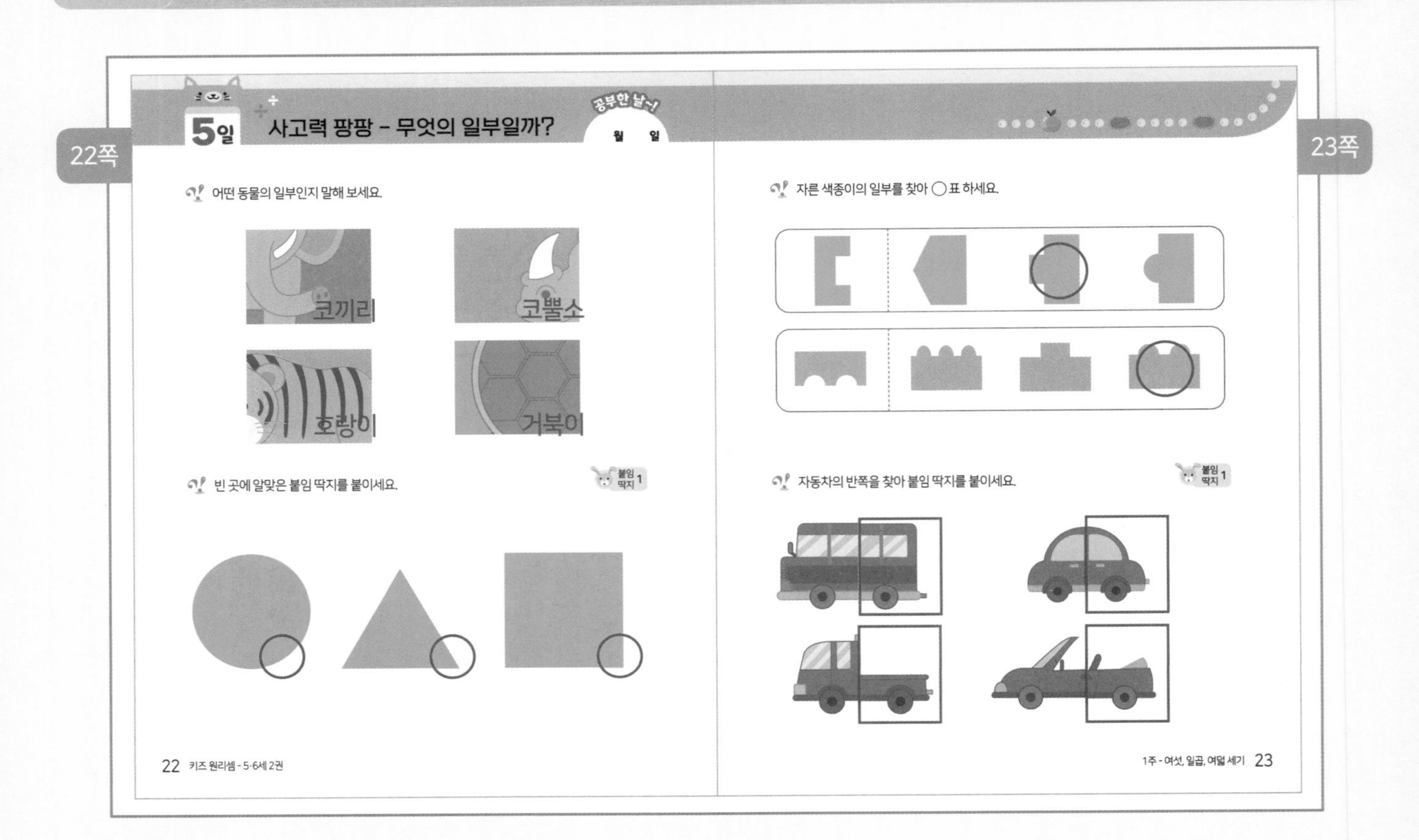
22쪽
5일 사고력 팡팡 - 무엇의 일부일까?
공부한 날~!
월 일
어떤 동물의 일부인지 말해 보세요.
코끼리
코뿔소
호랑이
거북이
빈 곳에 알맞은 붙임 딱지를 붙이세요.
붙임 딱지 1
22 키즈 원리셈 - 5·6세 2권
23쪽
자른 색종이의 일부를 찾아 ◯표 하세요.
자동차의 반쪽을 찾아 붙임 딱지를 붙이세요.
붙임 딱지 1
1주 - 여섯, 일곱, 여덟 세기 23

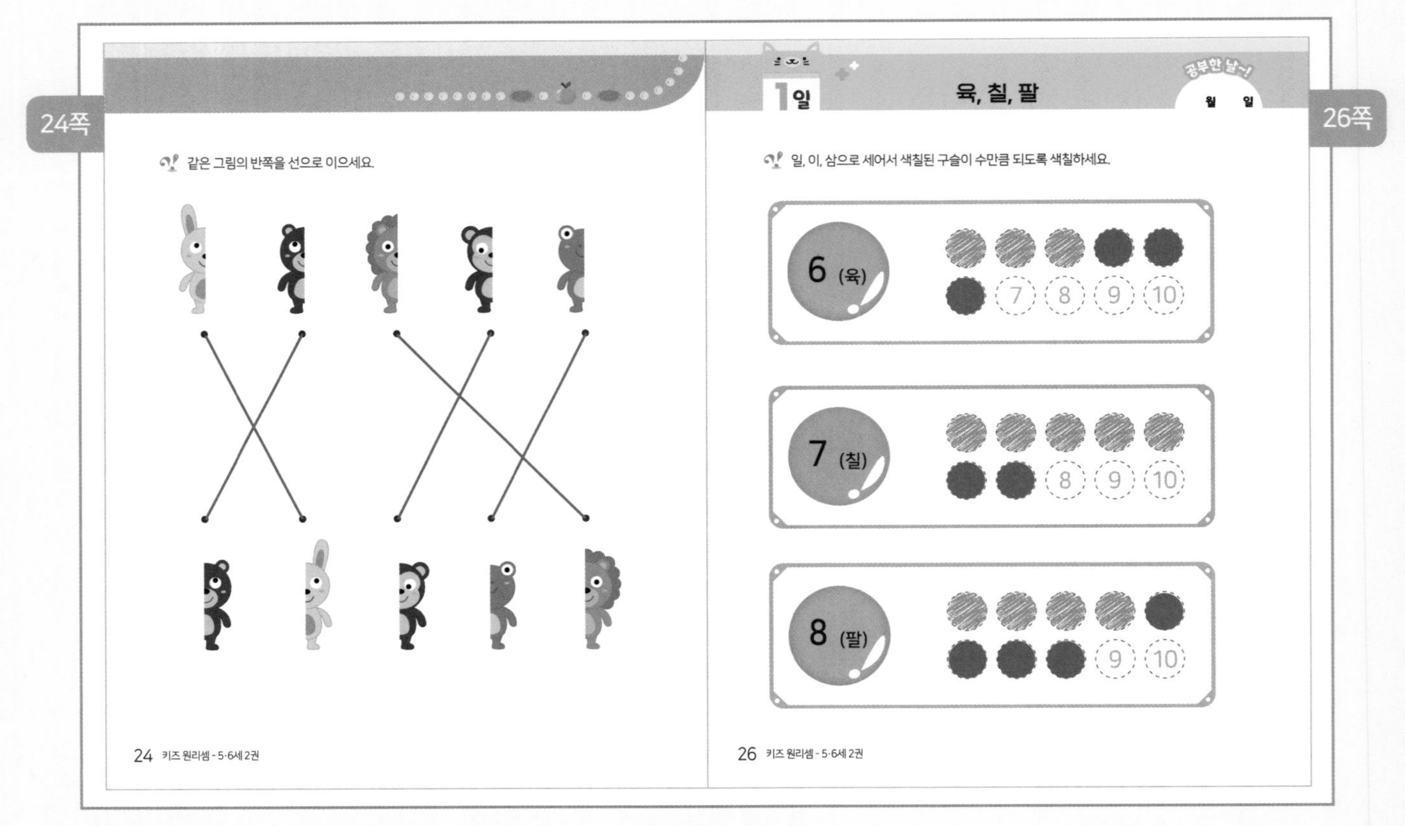
24쪽
같은 그림의 반쪽을 선으로 이으세요.
24 키즈 원리셈 - 5·6세 2권
26쪽
1일 육, 칠, 팔
공부한 날~!
월 일
일, 이, 삼으로 세어서 색칠된 구슬이 수만큼 되도록 색칠하세요.
6 (육)
7 8 9 10
7 (칠)
8 9 10
8 (팔)
9 10
26 키즈 원리셈 - 5·6세 2권

27쪽

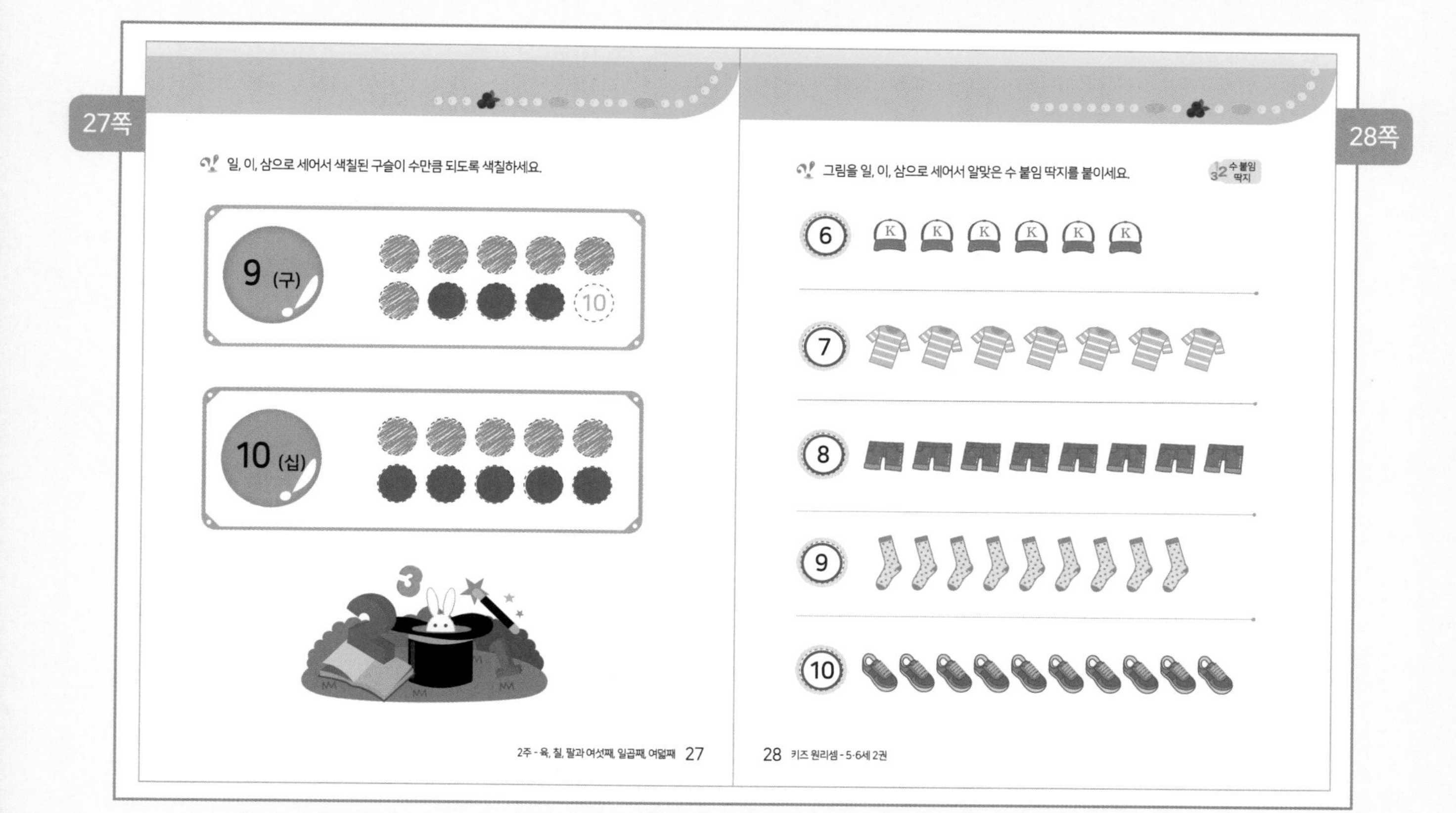

28쪽

29쪽

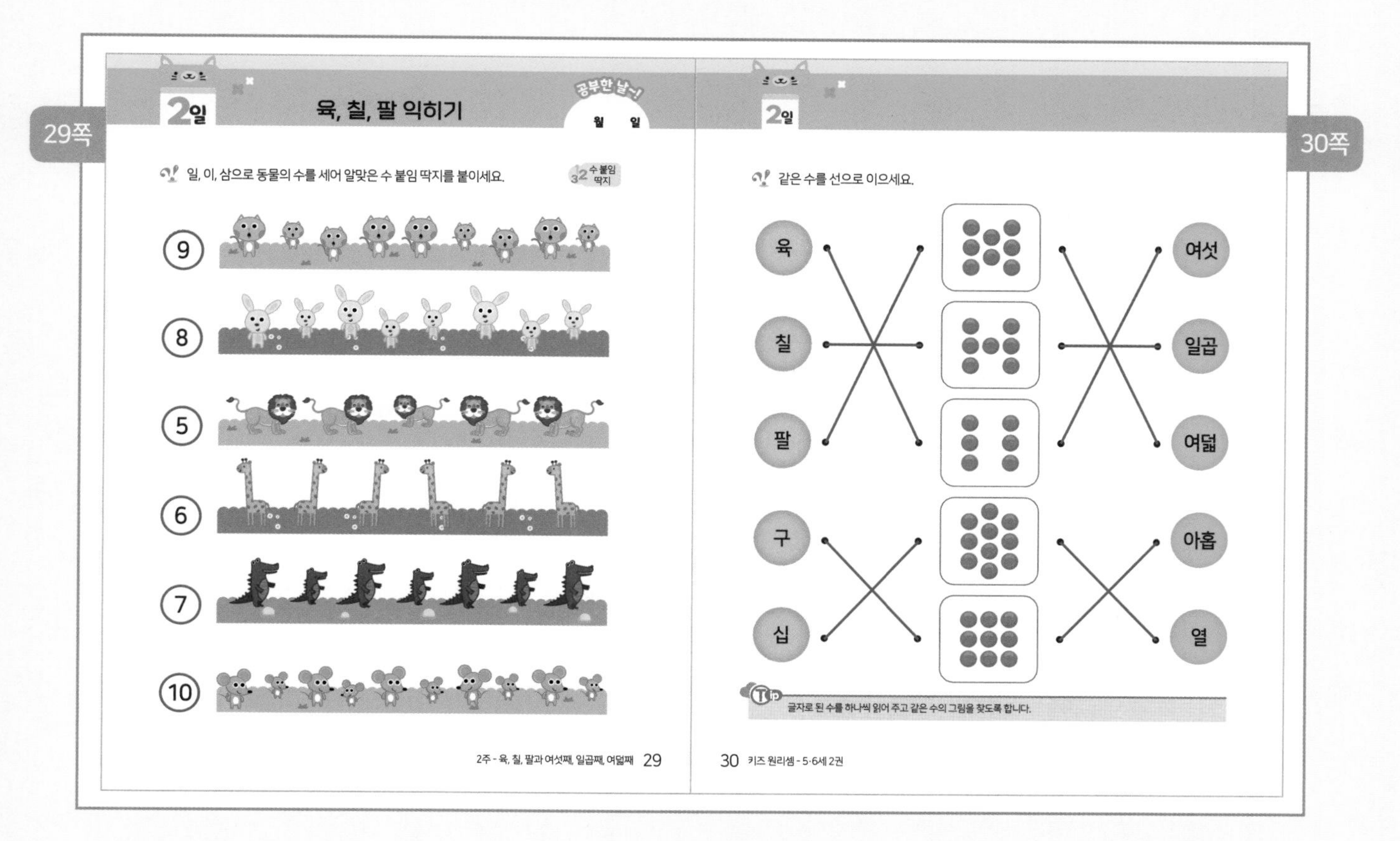

30쪽

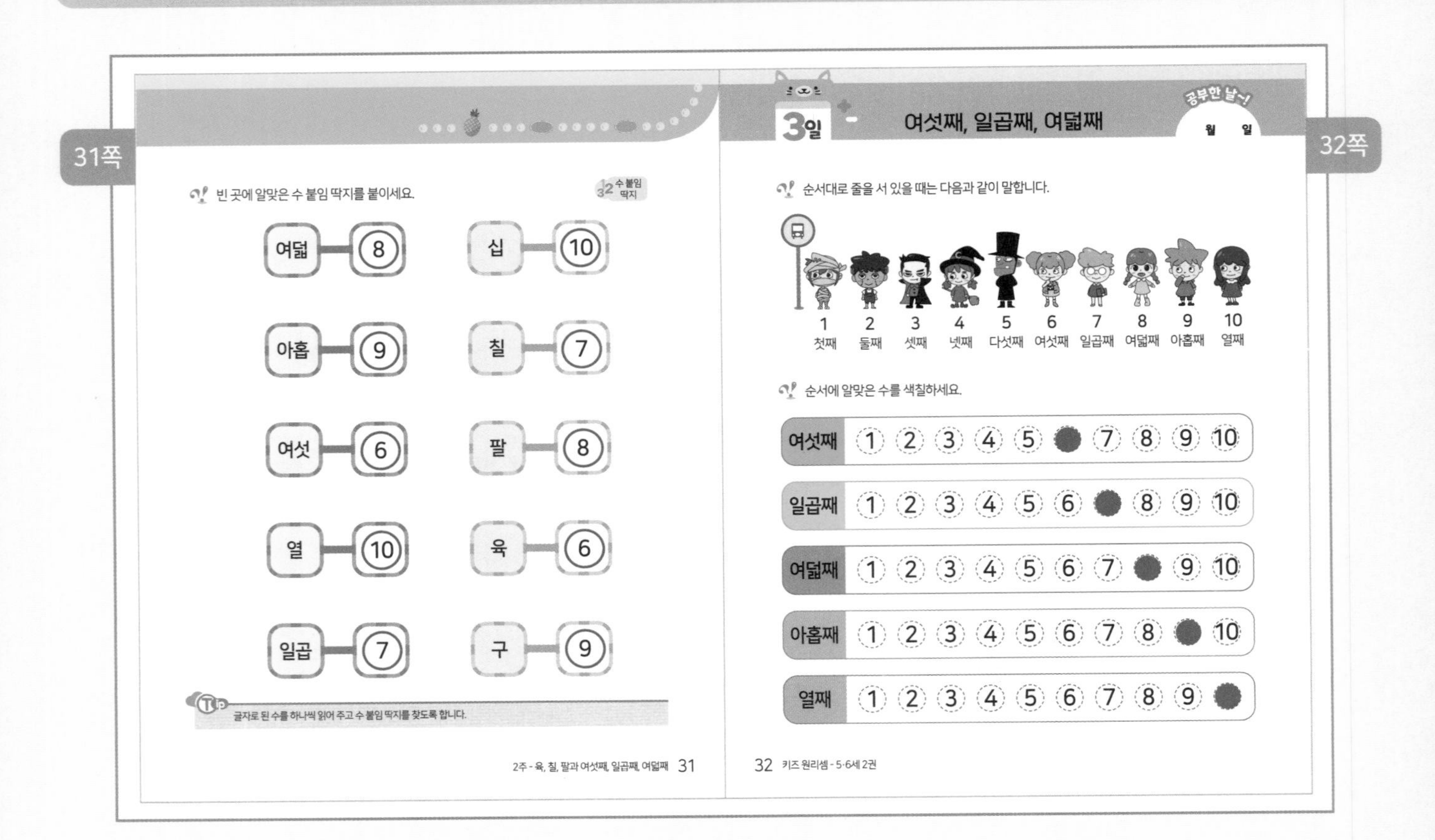
31쪽

빈 곳에 알맞은 수 붙임 딱지를 붙이세요.

수 붙임 딱지

여덟	8	십	10
아홉	9	칠	7
여섯	6	팔	8
열	10	육	6
일곱	7	구	9

Tip 글자로 된 수를 하나씩 읽어 주고 수 붙임 딱지를 찾도록 합니다.

2주 - 육, 칠, 팔과 여섯째, 일곱째, 여덟째 31

32쪽

3일 여섯째, 일곱째, 여덟째

공부한 날~! 월 일

순서대로 줄을 서 있을 때는 다음과 같이 말합니다.

1	2	3	4	5	6	7	8	9	10
첫째	둘째	셋째	넷째	다섯째	여섯째	일곱째	여덟째	아홉째	열째

순서에 알맞은 수를 색칠하세요.

여섯째 1 2 3 4 5 ● 7 8 9 10

일곱째 1 2 3 4 5 6 ● 8 9 10

여덟째 1 2 3 4 5 6 7 ● 9 10

아홉째 1 2 3 4 5 6 7 8 ● 10

열째 1 2 3 4 5 6 7 8 9 ●

32 키즈 원리셈 - 5·6세 2권

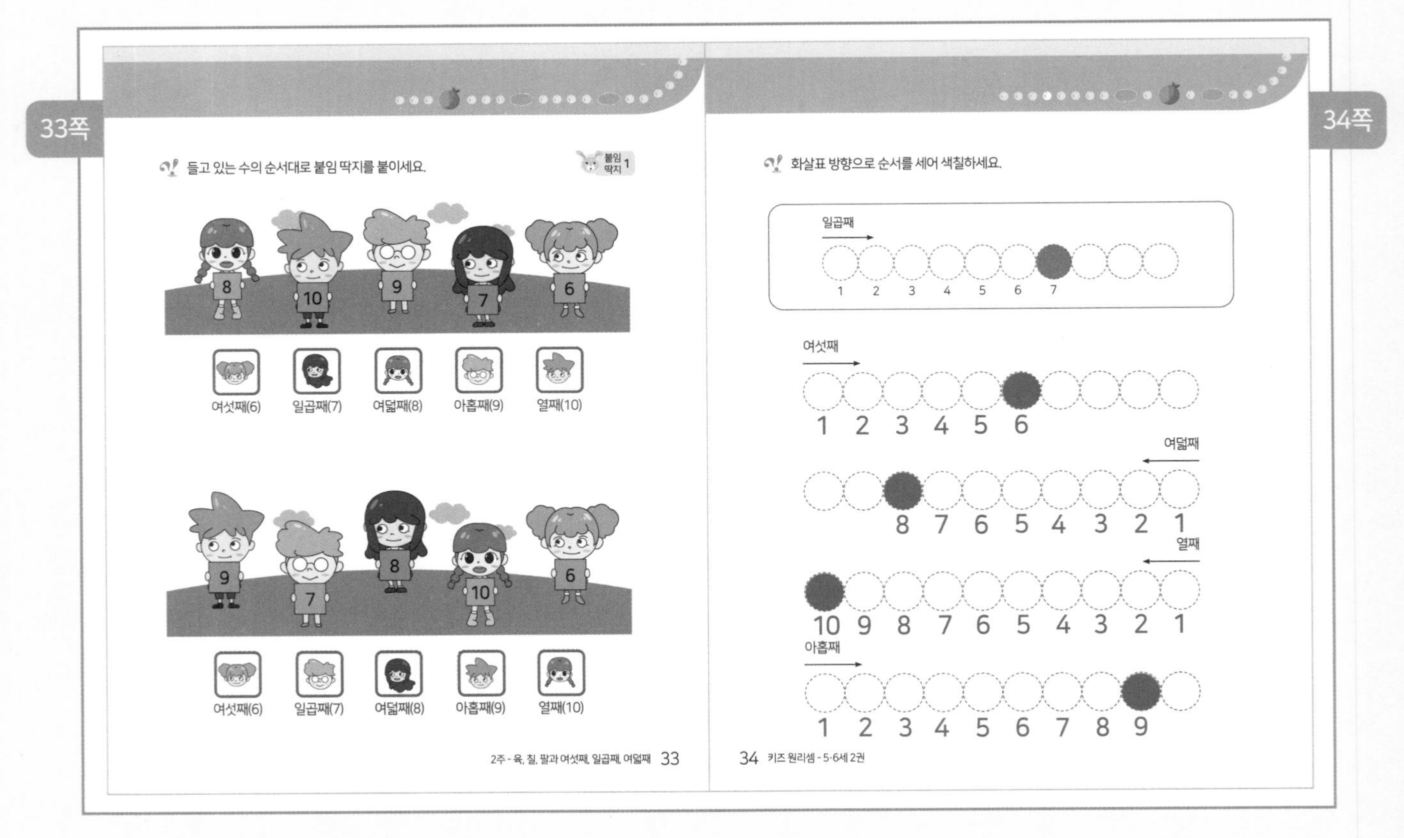
33쪽

들고 있는 수의 순서대로 붙임 딱지를 붙이세요.

붙임 딱지 1

8 10 9 7 6

여섯째(6) 일곱째(7) 여덟째(8) 아홉째(9) 열째(10)

9 7 8 10 6

여섯째(6) 일곱째(7) 여덟째(8) 아홉째(9) 열째(10)

2주 - 육, 칠, 팔과 여섯째, 일곱째, 여덟째 33

34쪽

화살표 방향으로 순서를 세어 색칠하세요.

일곱째 1 2 3 4 5 6 7

여섯째 1 2 3 4 5 6

여덟째 8 7 6 5 4 3 2 1

열째 10 9 8 7 6 5 4 3 2 1

아홉째 1 2 3 4 5 6 7 8 9

34 키즈 원리셈 - 5·6세 2권

35쪽

36쪽

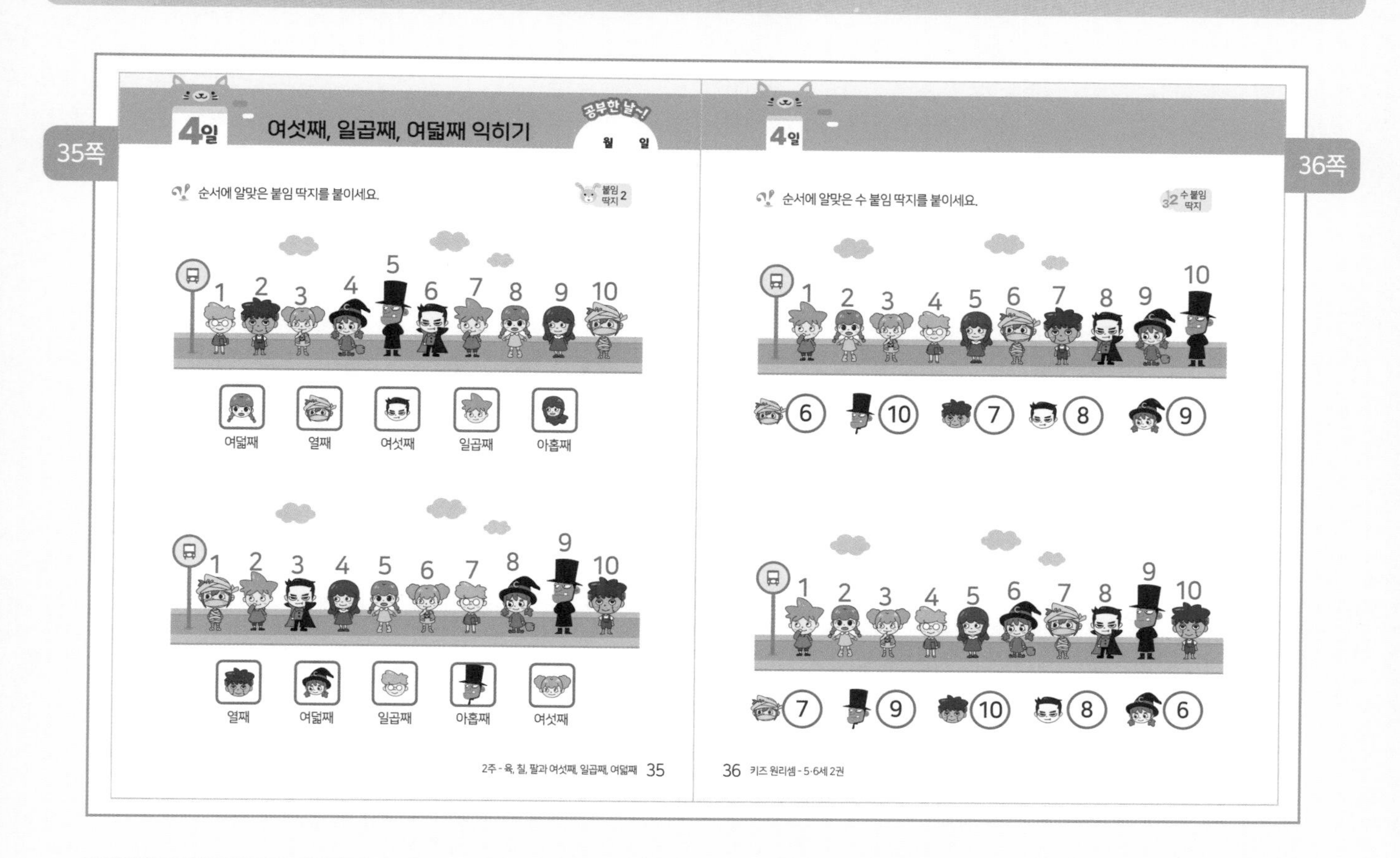

37쪽

38쪽

책을 쌓았습니다. 책을 쌓은 순서에 알맞게 빈 곳에 알맞은 책 붙임 딱지를 붙이세요.
붙임 딱지 2
첫째
둘째
일곱째
여덟째
여섯째
열째
2주 - 육, 칠, 팔과 여섯째, 일곱째, 여덟째 37
5일 사고력 팡팡 – 같은 것 찾기
공부한 날~! 월 일
숨은 그림을 찾아서 ◯표 하세요.
38 키즈 원리셈 - 5·6세 2권

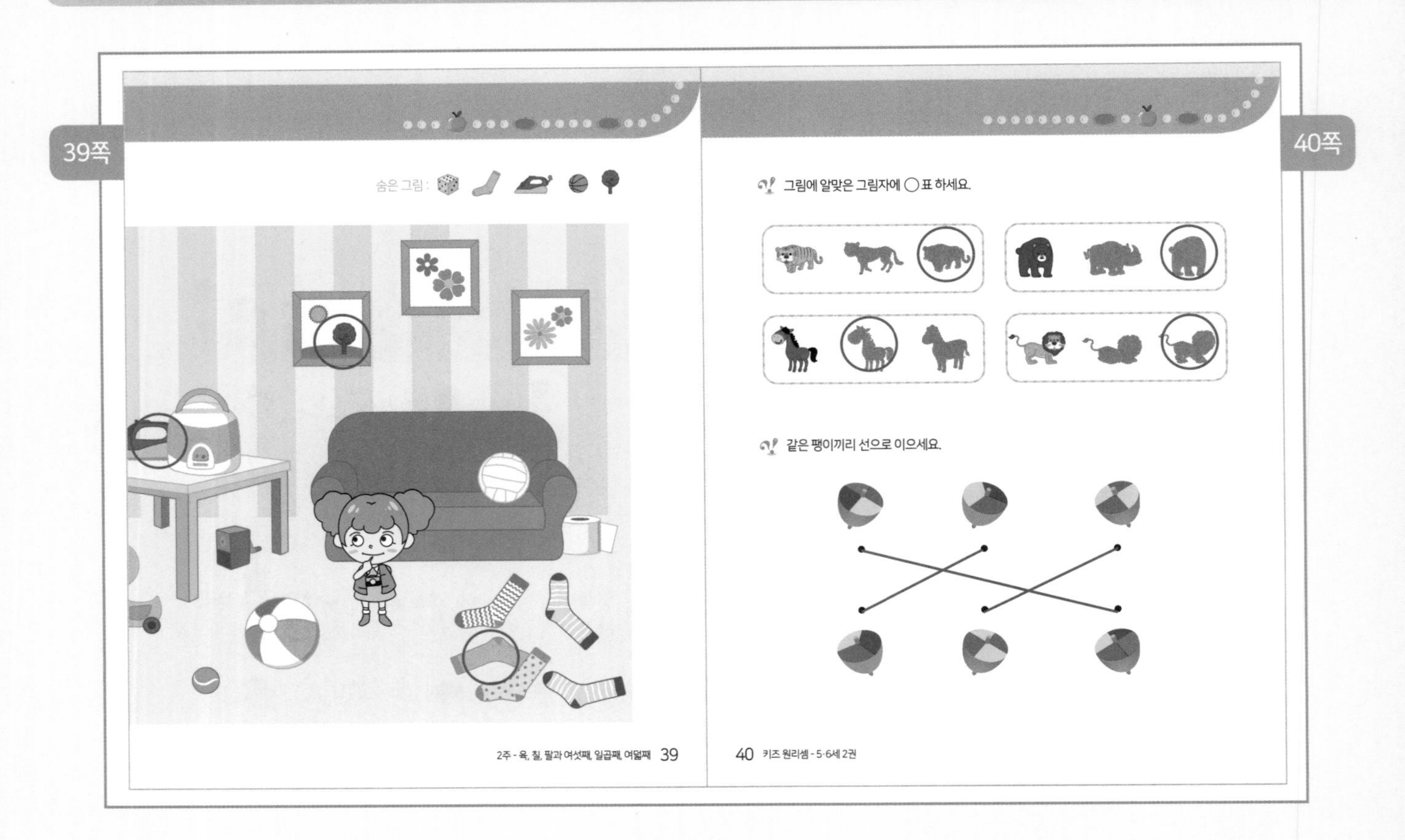
39쪽
숨은 그림 :
2주 - 육, 칠, 팔과 여섯째, 일곱째, 여덟째 39
40쪽
그림에 알맞은 그림자에 ◯표 하세요.
같은 팽이끼리 선으로 이으세요.
40 키즈 원리셈 - 5·6세 2권

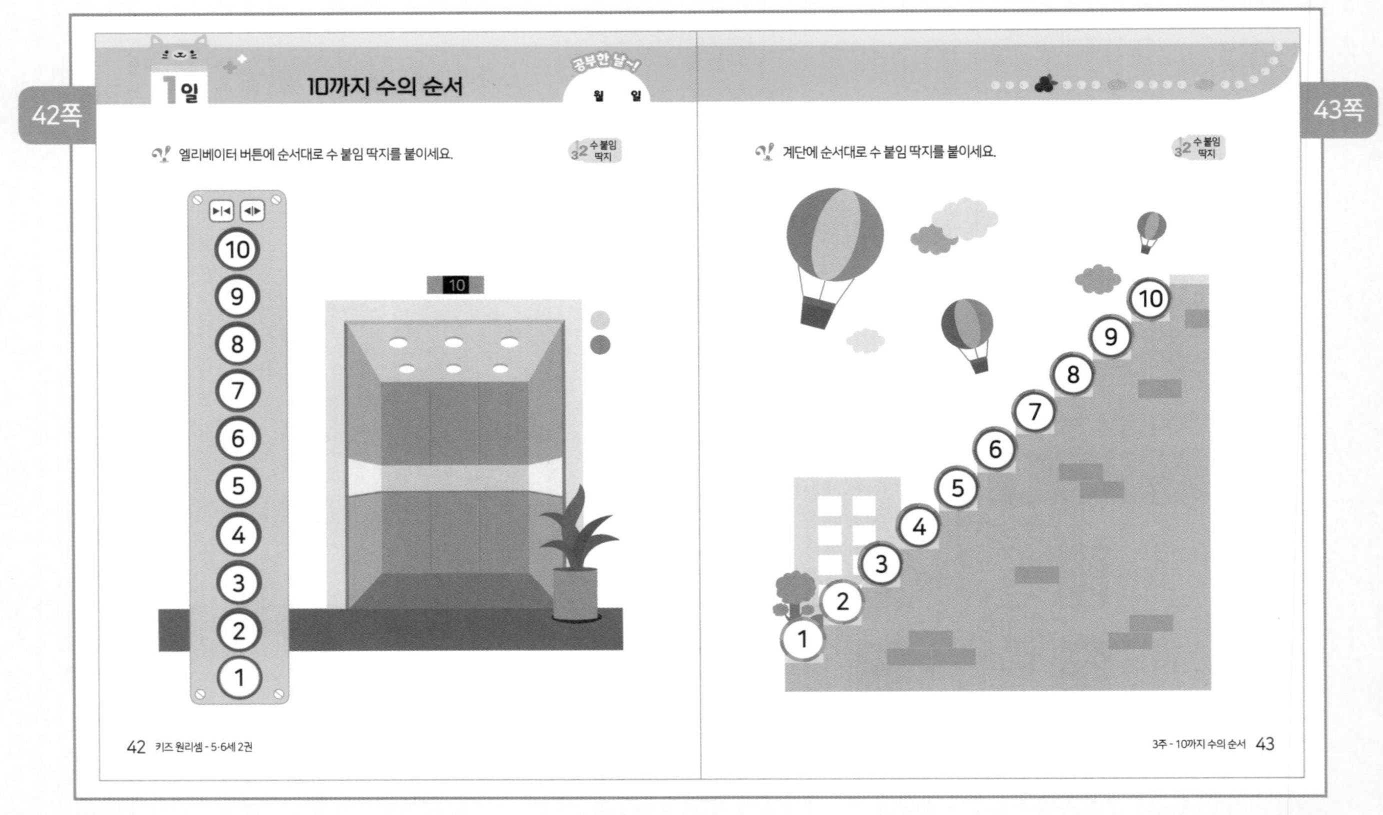
42쪽
1일
10까지 수의 순서
공부한 날~!
월 일
엘리베이터 버튼에 순서대로 수 붙임 딱지를 붙이세요.
32 수 붙임 딱지
10
9
8
7
6
5
4
3
2
1
42 키즈 원리셈 - 5·6세 2권
43쪽
계단에 순서대로 수 붙임 딱지를 붙이세요.
32 수 붙임 딱지
3주 - 10까지 수의 순서 43

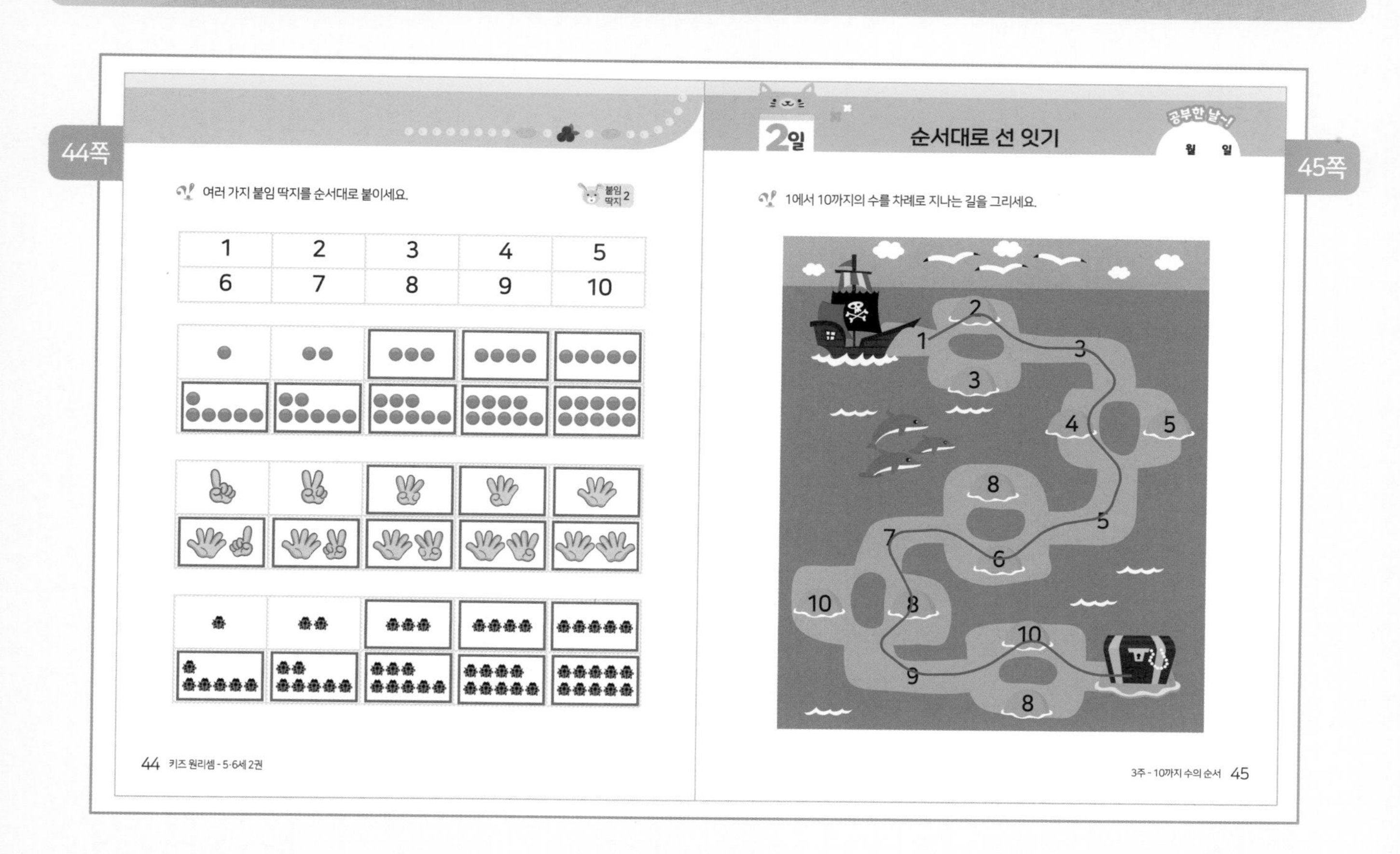
44쪽
여러 가지 붙임 딱지를 순서대로 붙이세요.
붙임 딱지 2
1 2 3 4 5
6 7 8 9 10
44 키즈 원리셈 - 5·6세 2권
45쪽
2일
순서대로 선 잇기
공부한 날~!
월 일
1에서 10까지의 수를 차례로 지나는 길을 그리세요.
3주 - 10까지 수의 순서 45

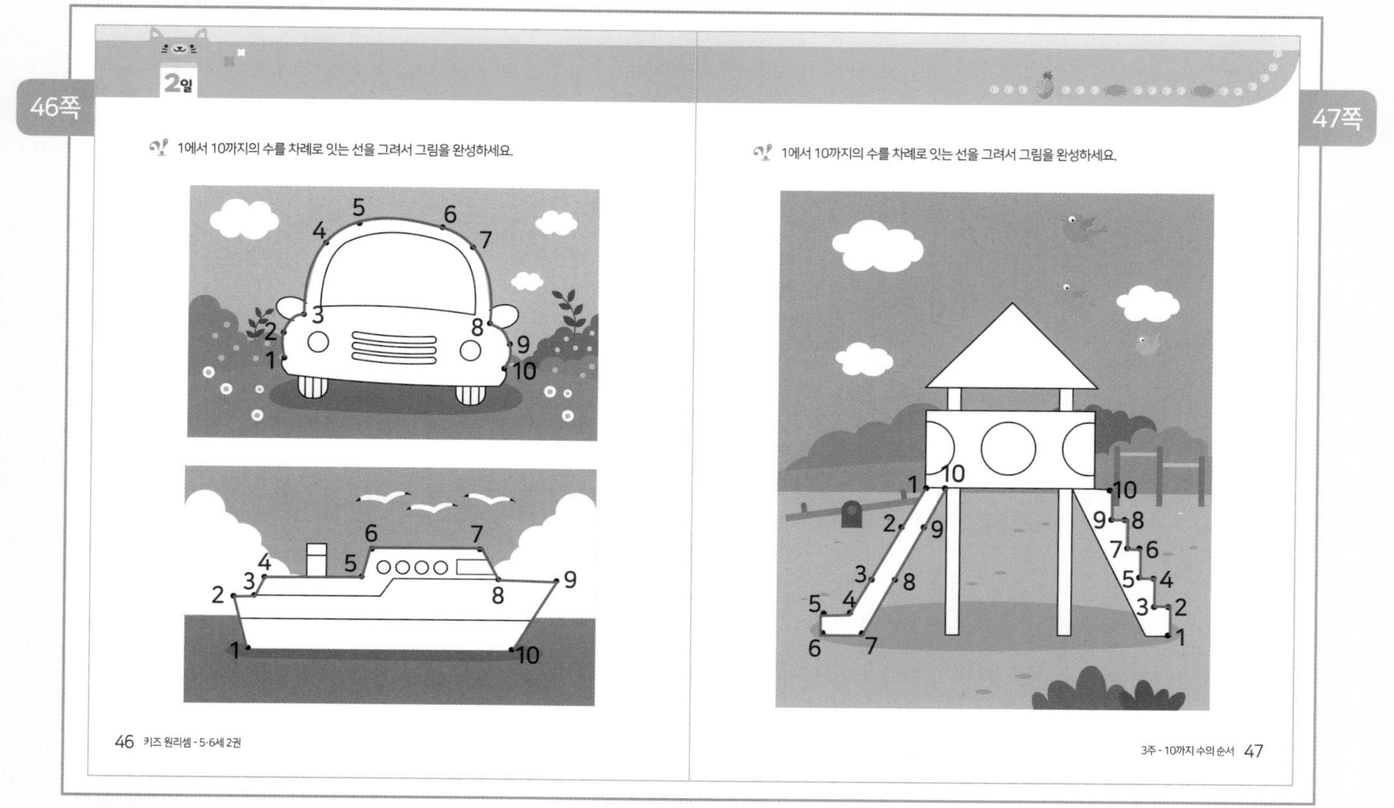
46쪽
2일
1에서 10까지의 수를 차례로 잇는 선을 그려서 그림을 완성하세요.
46 키즈 원리셈 - 5·6세 2권
47쪽
1에서 10까지의 수를 차례로 잇는 선을 그려서 그림을 완성하세요.
3주 - 10까지 수의 순서 47

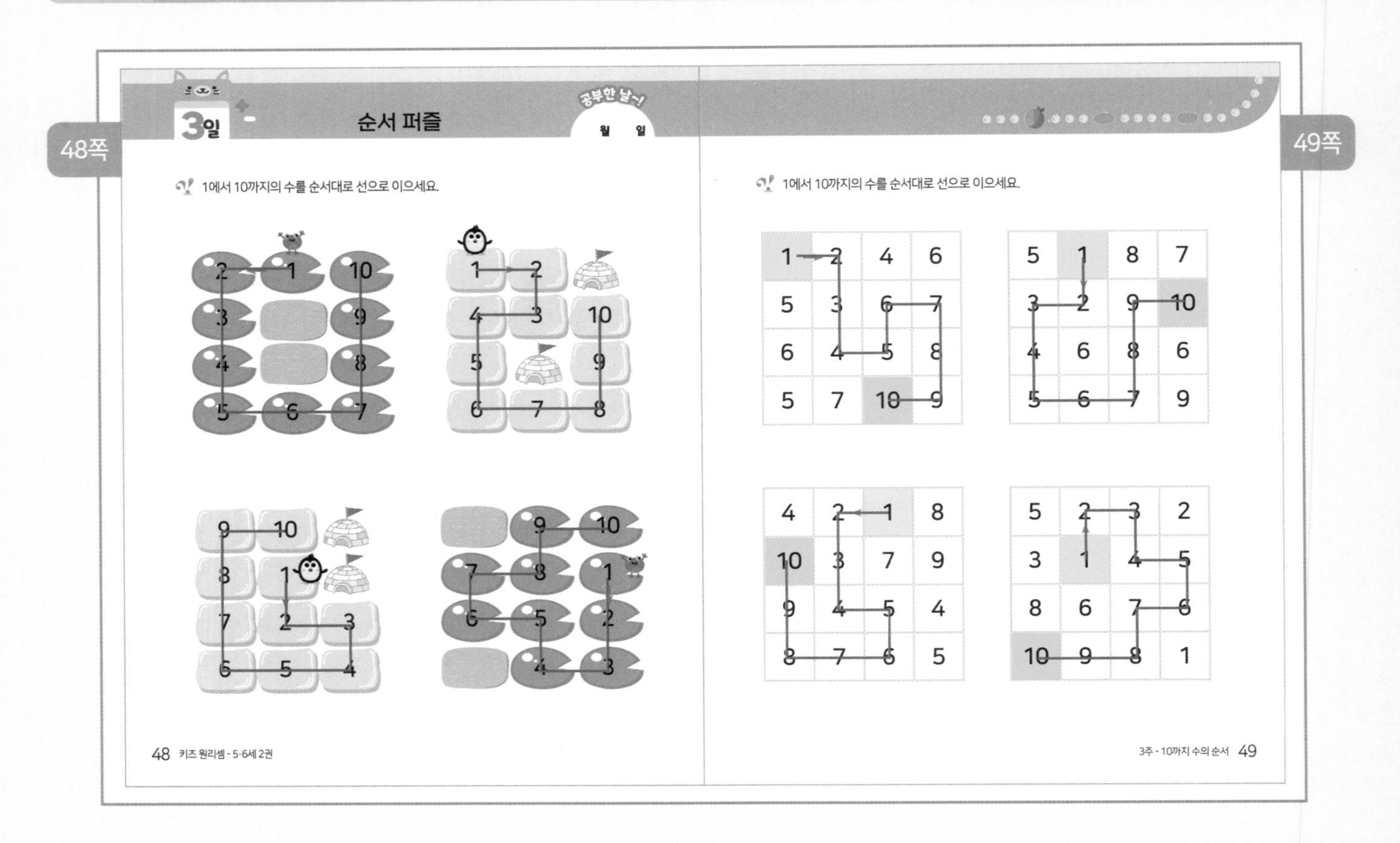
48쪽

3일 순서 퍼즐

공부한 날~! 월 일

1에서 10까지의 수를 순서대로 선으로 이으세요.

48 키즈 원리셈 - 5·6세 2권

49쪽

1에서 10까지의 수를 순서대로 선으로 이으세요.

1	2	4	6
5	3	6	7
6	4	5	8
5	7	10	9

5	1	8	7
3	2	9	10
4	6	8	6
5	6	7	9

4	2	1	8
10	3	7	9
9	4	5	4
8	7	6	5

5	2	3	2
3	1	4	5
8	6	7	6
10	9	8	1

3주 - 10까지 수의 순서 49

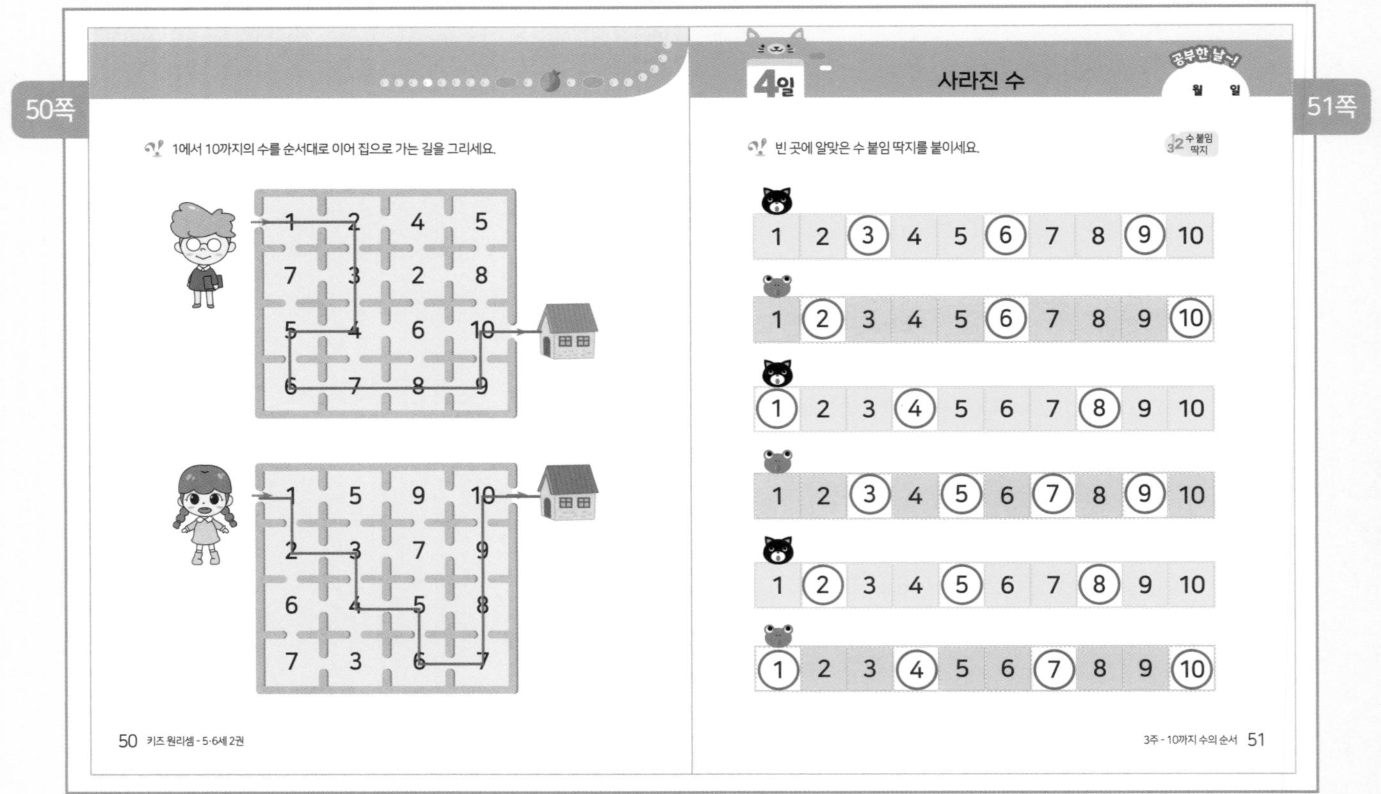
50쪽

1에서 10까지의 수를 순서대로 이어 집으로 가는 길을 그리세요.

1	2	4	5
7	3	2	8
5	4	6	10
6	7	8	9

1	5	9	10
2	3	7	9
6	4	5	8
7	3	6	7

50 키즈 원리셈 - 5·6세 2권

51쪽

4일 사라진 수

공부한 날~! 월 일

빈 곳에 알맞은 수 붙임 딱지를 붙이세요.

수 붙임 딱지

1 2 (3) 4 5 (6) 7 8 (9) 10

1 (2) 3 4 5 (6) 7 8 9 (10)

(1) 2 3 (4) 5 6 7 (8) 9 10

1 2 (3) 4 (5) 6 (7) 8 (9) 10

1 (2) 3 4 (5) 6 7 (8) 9 10

(1) 2 3 (4) 5 6 (7) 8 9 (10)

3주 - 10까지 수의 순서 51

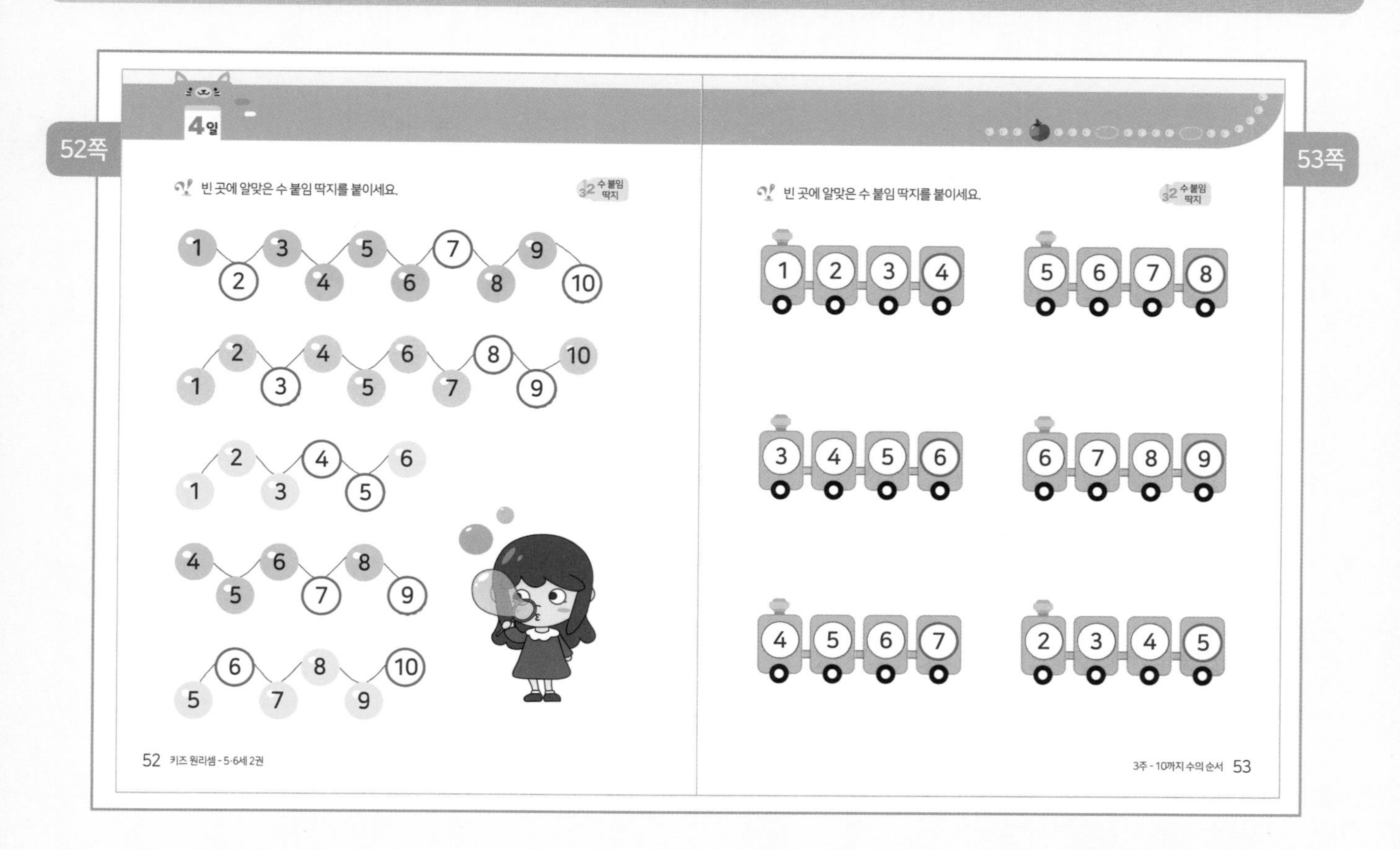
52쪽

4일

빈 곳에 알맞은 수 붙임 딱지를 붙이세요. 수 붙임 딱지

1 2 3 4 5 6 7 8 9 10

1 2 3 4 5 6 7 8 9 10

1 2 3 4 5 6

4 5 6 7 8 9

5 6 7 8 9 10

53쪽

빈 곳에 알맞은 수 붙임 딱지를 붙이세요. 수 붙임 딱지

1 2 3 4 5 6 7 8

3 4 5 6 6 7 8 9

4 5 6 7 2 3 4 5

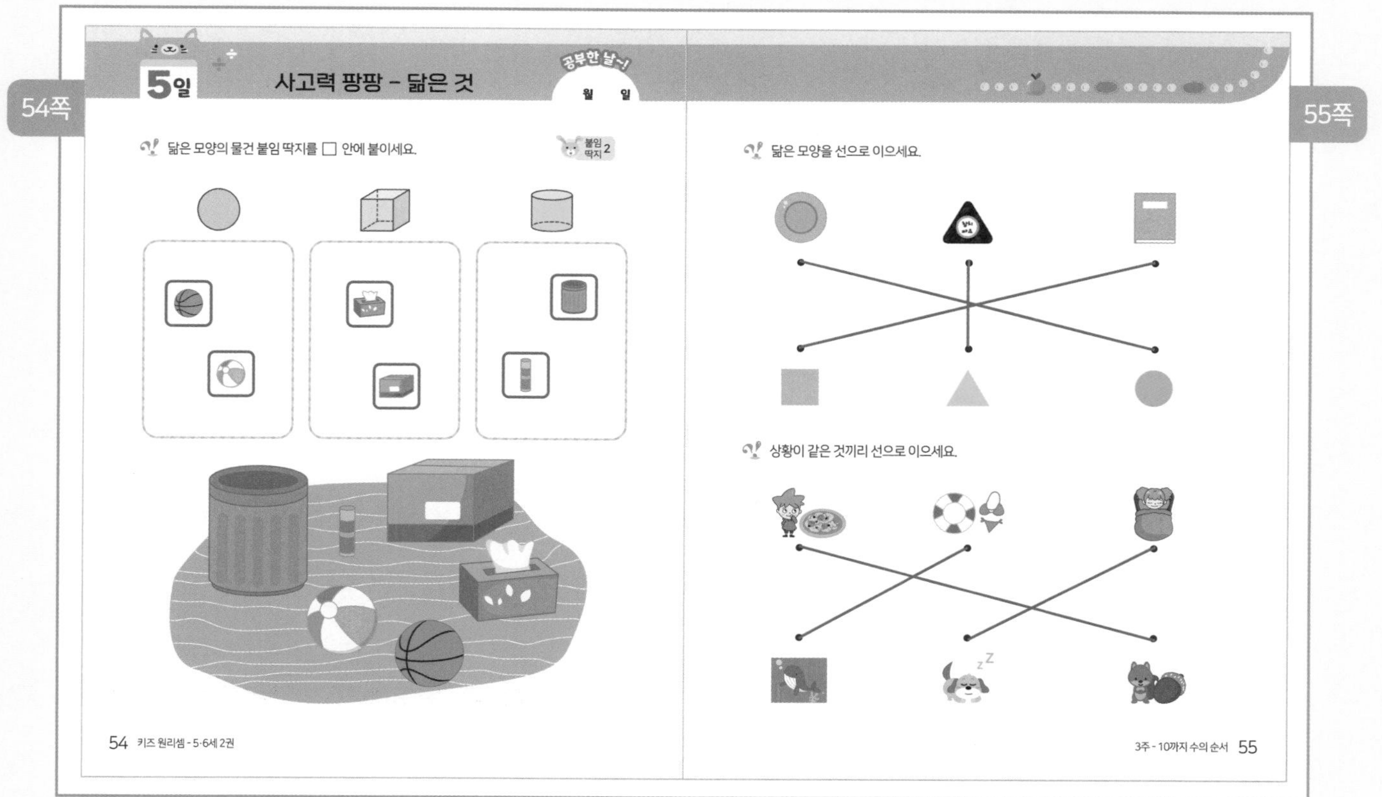
54쪽

5일 사고력 팡팡 – 닮은 것

공부한 날 월 일

닮은 모양의 물건 붙임 딱지를 □ 안에 붙이세요. 붙임 딱지 2

55쪽

닮은 모양을 선으로 이으세요.

상황이 같은 것끼리 선으로 이으세요.

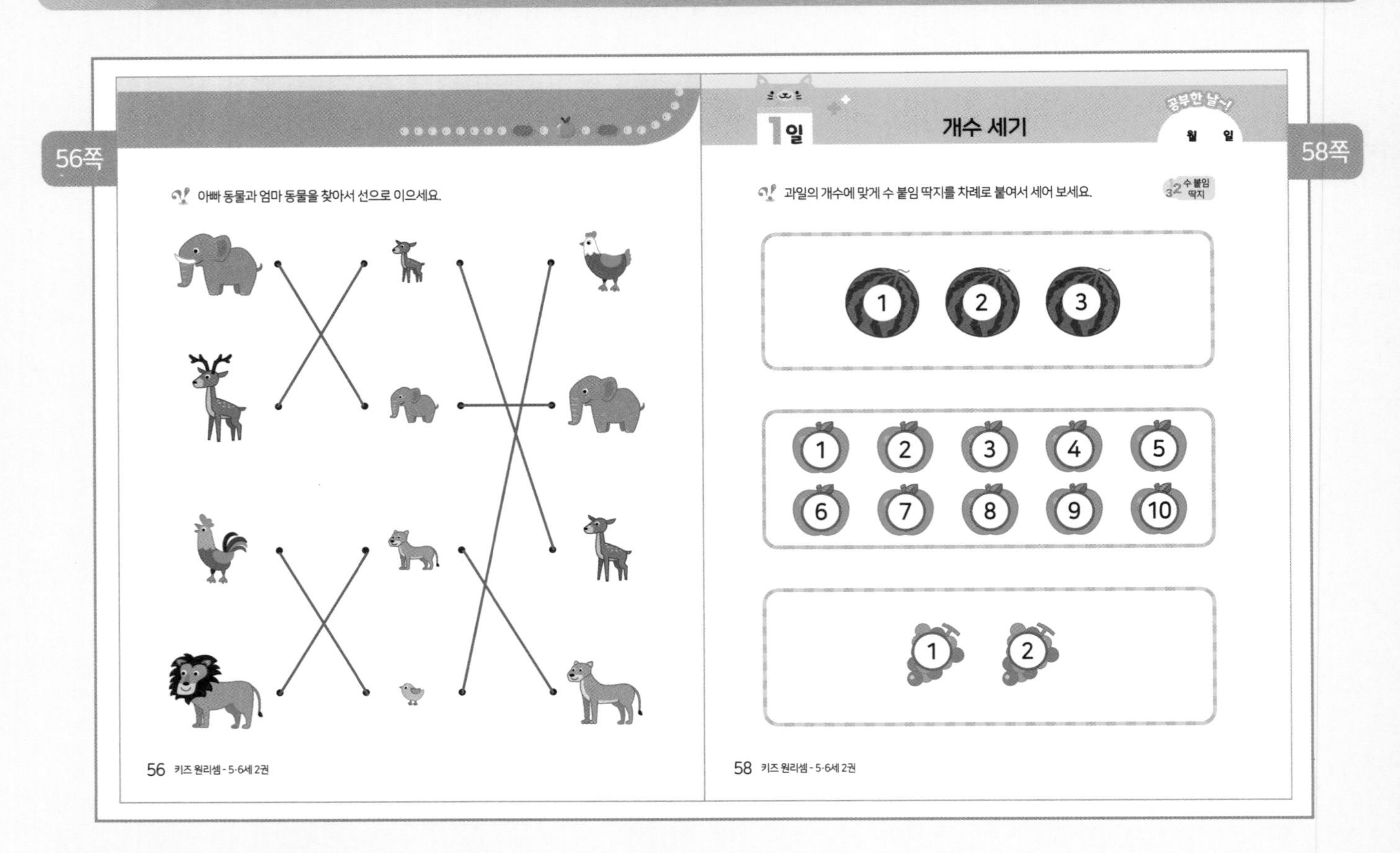
56쪽
아빠 동물과 엄마 동물을 찾아서 선으로 이으세요.
56 키즈 원리셈 - 5·6세 2권
58쪽
1일
개수 세기
공부한 날~!
월 일
과일의 개수에 맞게 수 붙임 딱지를 차례로 붙여서 세어 보세요.
58 키즈 원리셈 - 5·6세 2권

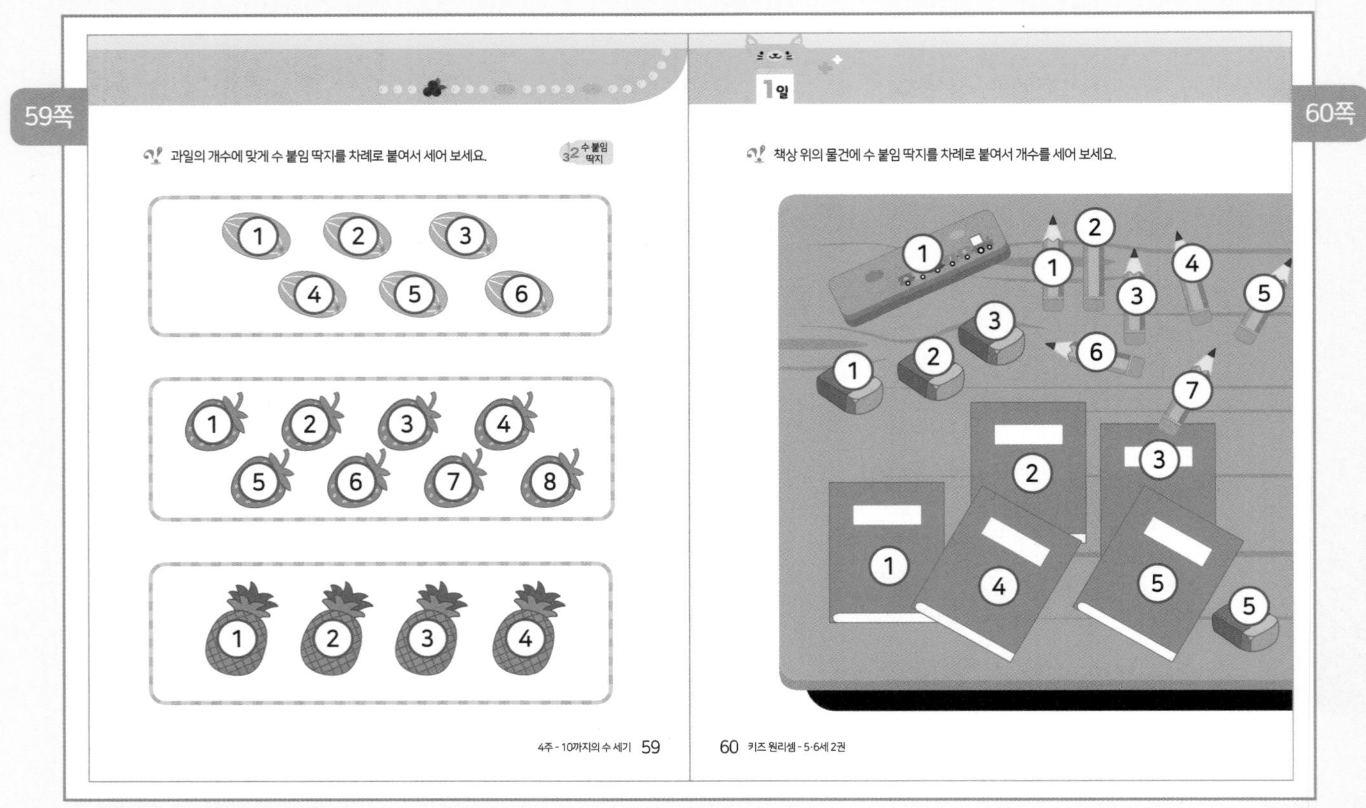
59쪽
과일의 개수에 맞게 수 붙임 딱지를 차례로 붙여서 세어 보세요.
4주 - 10까지의 수 세기 59
60쪽
1일
책상 위의 물건에 수 붙임 딱지를 차례로 붙여서 개수를 세어 보세요.
60 키즈 원리셈 - 5·6세 2권

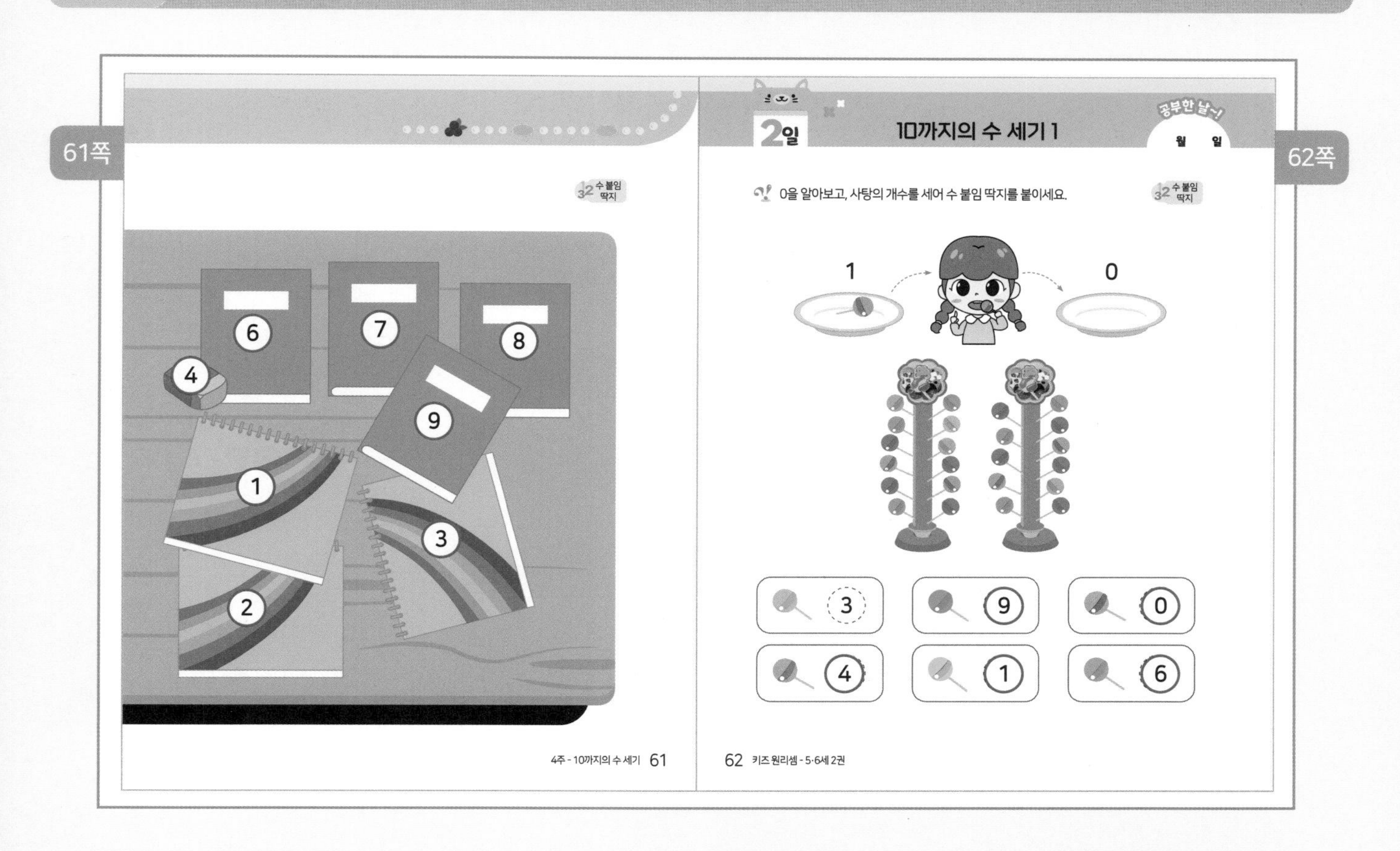
61쪽
6
7
8
4
9
1
3
2
4주 - 10까지의 수 세기 61
62쪽
2일
10까지의 수 세기 1
공부한 날~!
월 일
0을 알아보고, 사탕의 개수를 세어 수 붙임 딱지를 붙이세요.
1
0
3
9
0
4
1
6
62 키즈 원리셈 - 5·6세 2권

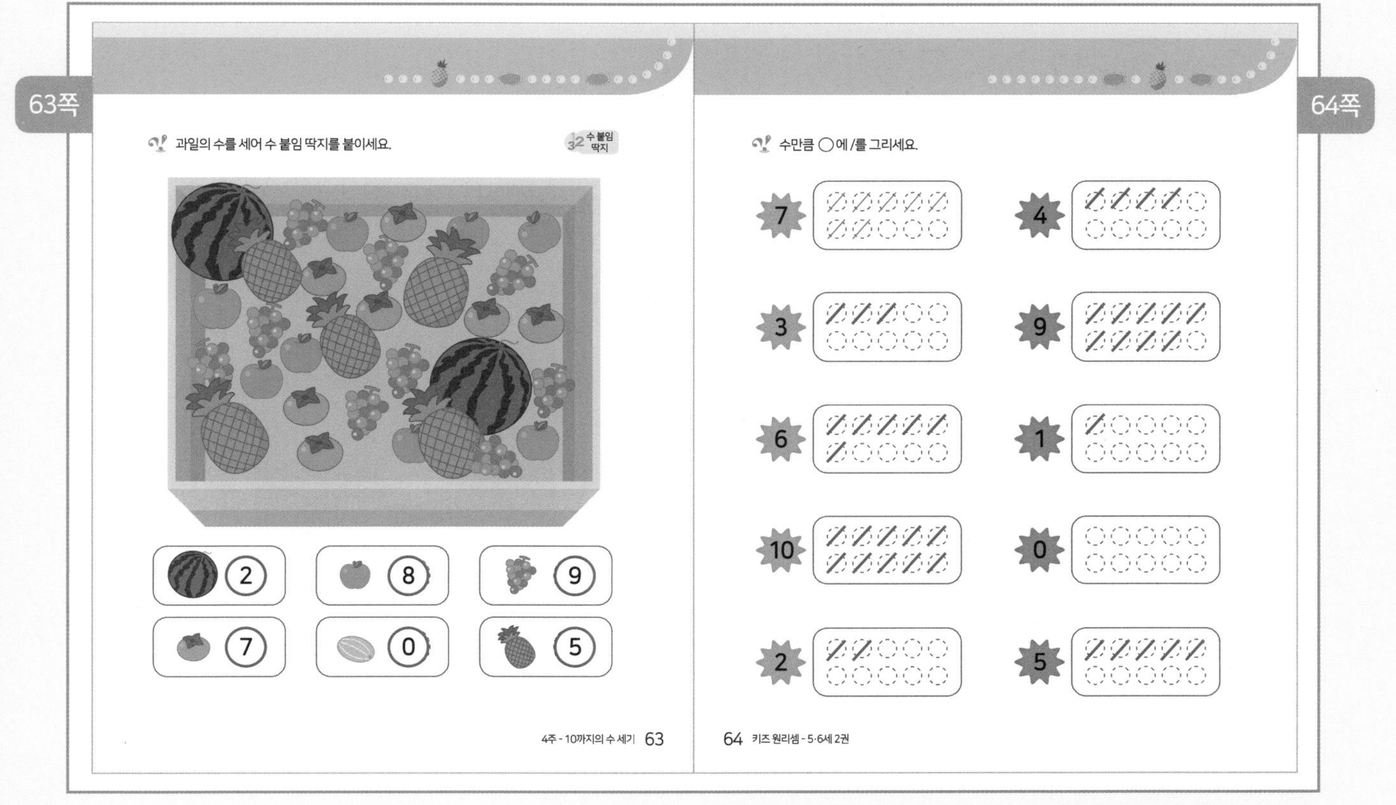
63쪽
과일의 수를 세어 수 붙임 딱지를 붙이세요.
2
8
9
7
0
5
4주 - 10까지의 수 세기 63
64쪽
수만큼 ○에 /를 그리세요.
7
4
3
9
6
1
10
0
2
5
64 키즈 원리셈 - 5·6세 2권

65쪽

66쪽

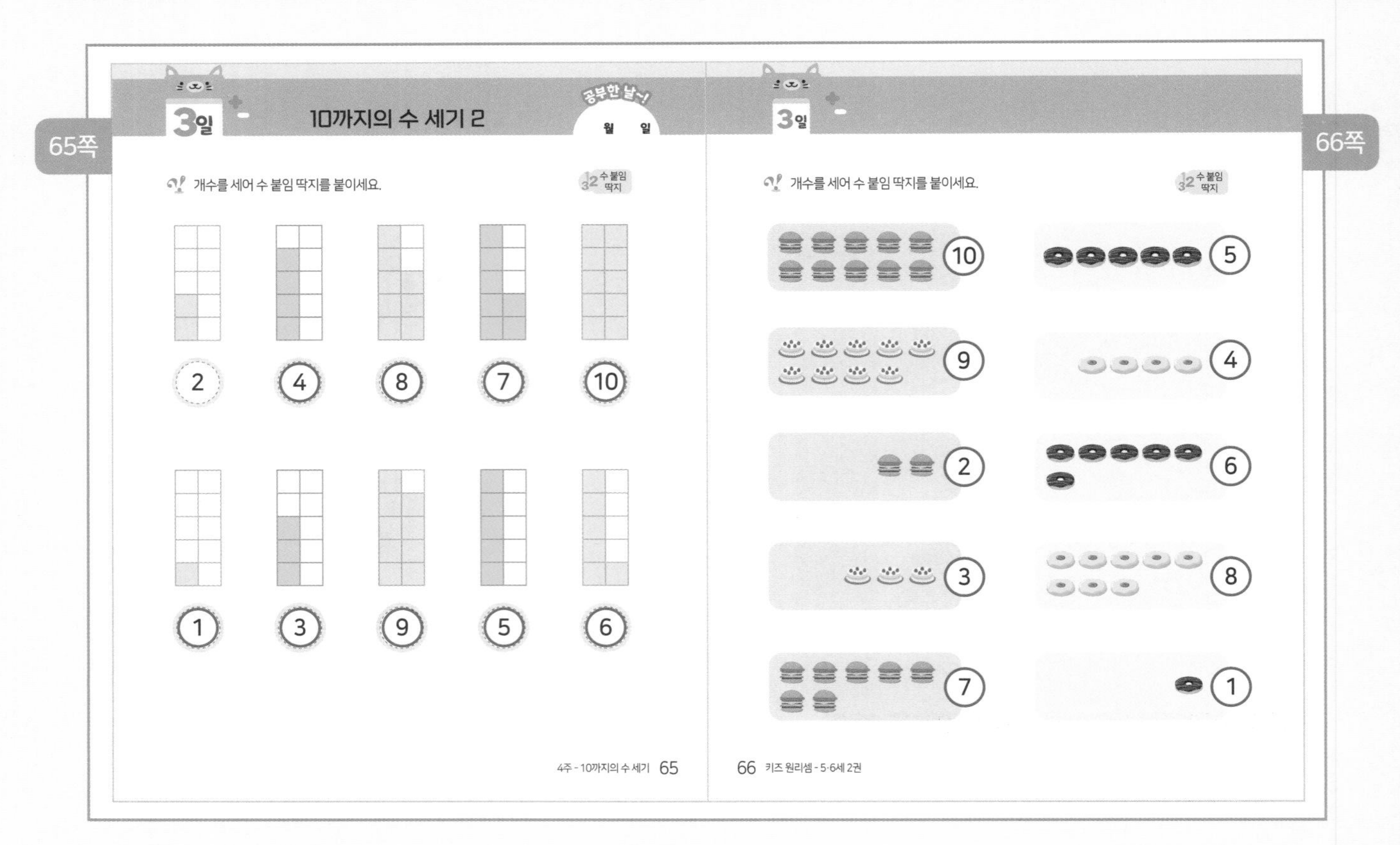

67쪽

68쪽

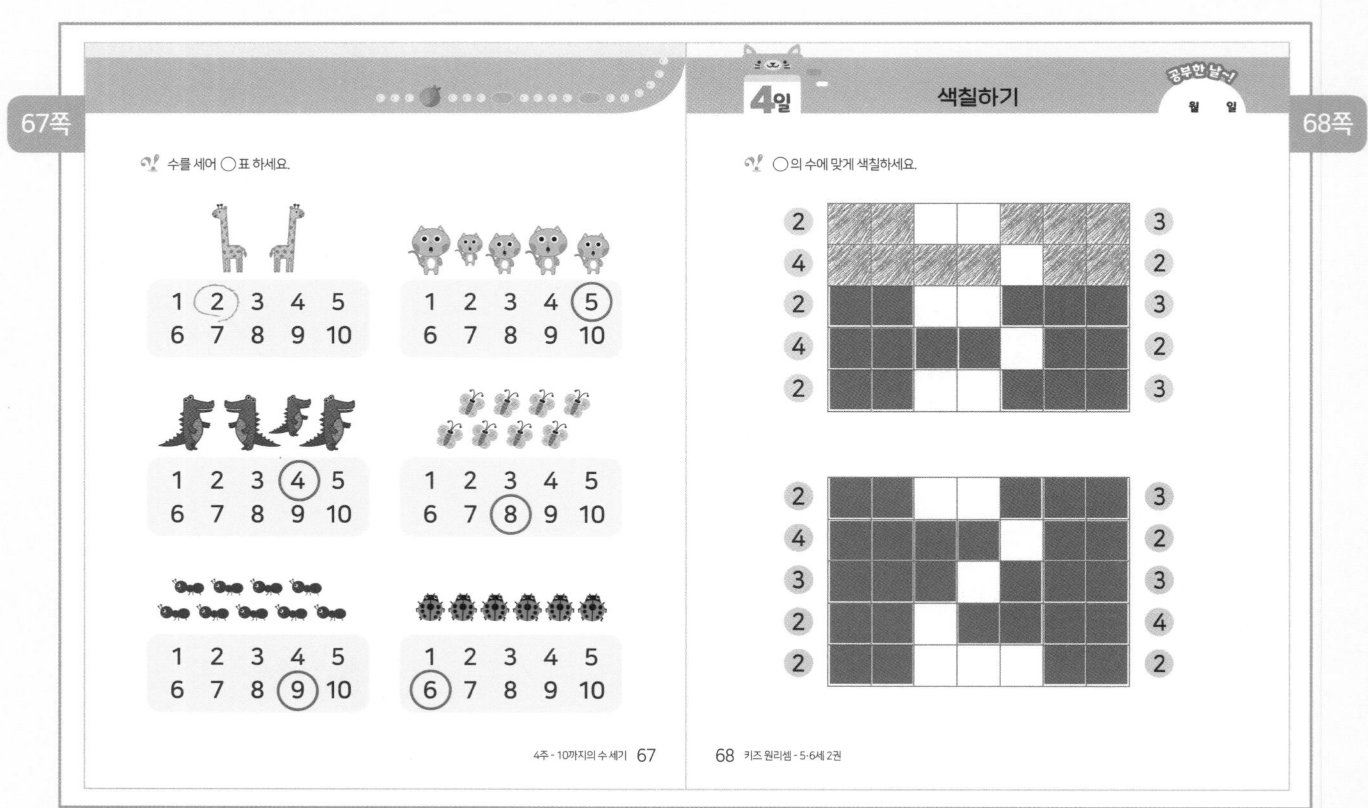

수를 세어 ○표 하세요.
1 2 3 4 5
6 7 8 9 10
4주 - 10까지의 수 세기 67
4일
색칠하기
공부한 날~!
월 일
○의 수에 맞게 색칠하세요.
68 키즈 원리셈 - 5·6세 2권

69쪽

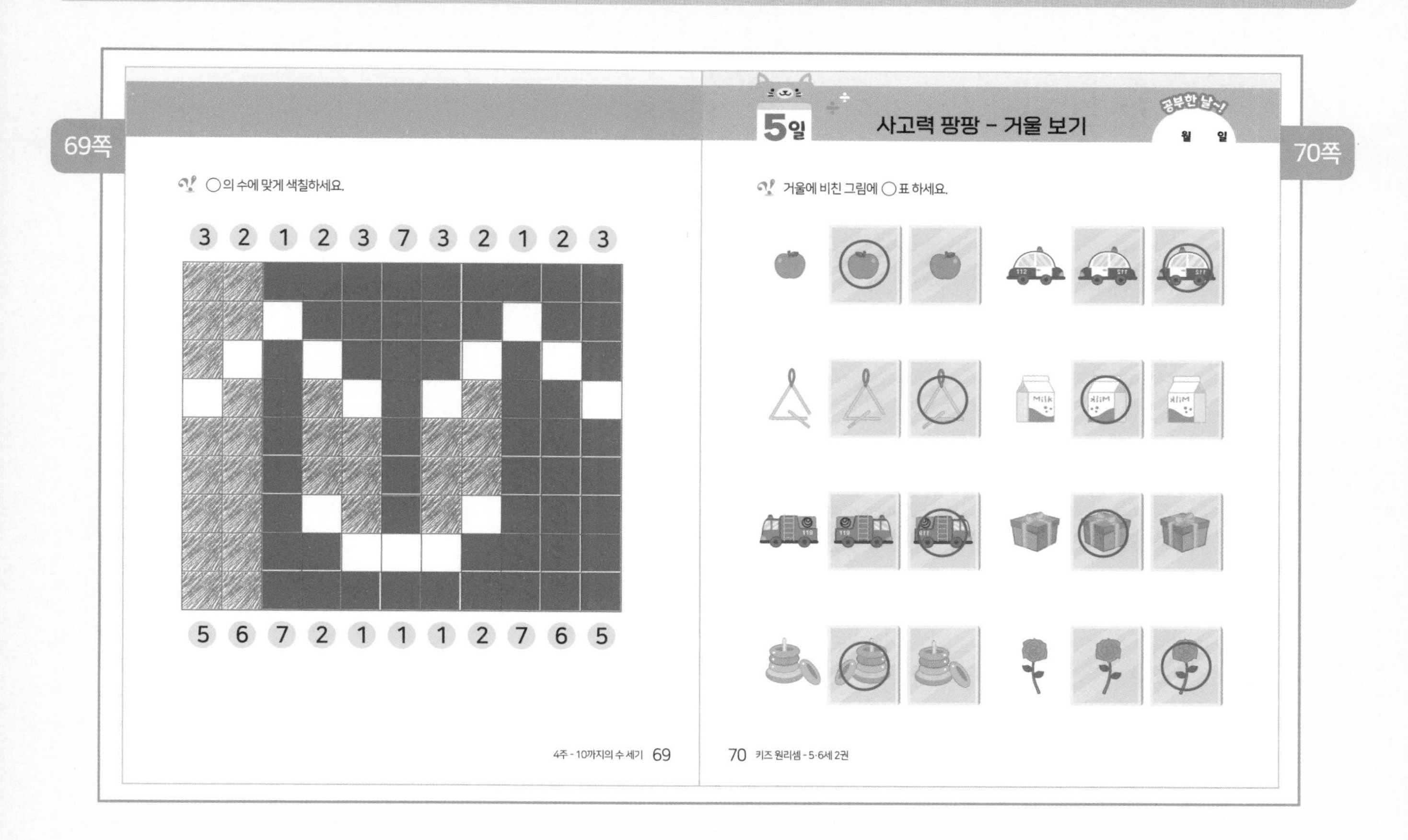

○의 수에 맞게 색칠하세요.
3 2 1 2 3 7 3 2 1 2 3
5 6 7 2 1 1 1 2 7 6 5
4주 - 10까지의 수 세기 69
5일
사고력 팡팡 - 거울 보기
공부한 날~!
월 일
거울에 비친 그림에 ○표 하세요.
70 키즈 원리셈 - 5·6세 2권

70쪽

71쪽

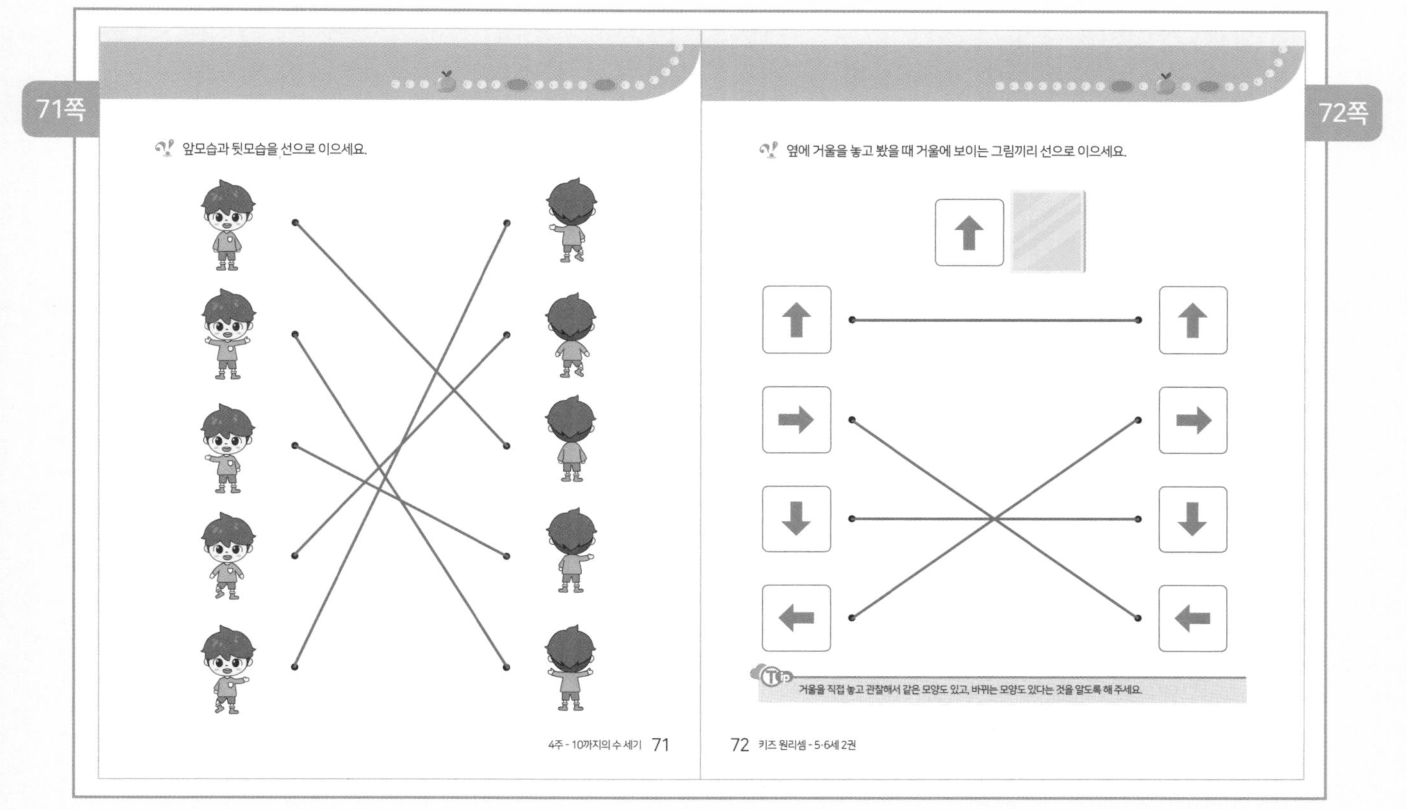

앞모습과 뒷모습을 선으로 이으세요.
4주 - 10까지의 수 세기 71
옆에 거울을 놓고 봤을 때 거울에 보이는 그림끼리 선으로 이으세요.
거울을 직접 놓고 관찰해서 같은 모양도 있고, 바뀌는 모양도 있다는 것을 알도록 해 주세요.
72 키즈 원리셈 - 5·6세 2권

72쪽

MEMO

세분화된 원리 학습

다양한 유형의 연습

충분한 연습

성취도 확인

천종현수학연구소의 교재 흐름도

4세
5세
6세
7세
초1
유아 자신감 수학 만 3세
유아 자신감 수학 만 4세
유아 자신감 수학 만 5세
유아 자신감 수학 : 유아 수학 입문서
• 처음에는 엄마, 아빠와 함께, 나중에는 아이 스스로
• 개념의 이해부터 적용까지
원리셈 : 기본 연산 학습서
• 매일 10분씩 원리로부터 실력까지 연산의 완성!!
• 다양한 형태의 문제와 충분한 연습으로 쉽고 재미있게
키즈 원리셈 5, 6세
키즈 원리셈 6, 7세
키즈 원리셈 예비 초등 7, 8세
초등 원리셈 초등1
TOP사고력 : 사고력 수학의 으뜸
• 수학적 직관력 / 문제 이해력 기르기
• 영역별 나선형식 반복 학습 구조
탑사고력 K 단계
탑사고력 P 단계
탑사고력 A 단계

초2
초3
초4
초5
초6
초등 원리셈 초등2
초등 원리셈 초등3
초등 원리셈 초등4
초등 원리셈 초등5
초등 원리셈 초등6
탑사고력 A 단계
탑사고력 B 단계
TOP사고력 : 사고력 수학의 으뜸
• 수학적 직관력 / 문제 이해력 기르기
• 영역별 나선형식 반복 학습 구조
초등 사고력 수학의 원리 및 전략
• 원리의 이해와 문제 해결 전략을 통한 진정한 실력 향상
• 재미있게 읽을 수 있는 초등 사고력 수학의 노하우
초등사고력 수학의 원리
초등사고력 수학의 전략